Harriet Whitehorn

BU KİTABIN SAHİBİ

....

ROSE VE
STANLEY'NİN EVİ

CHARLOTTE'UN
EVİ

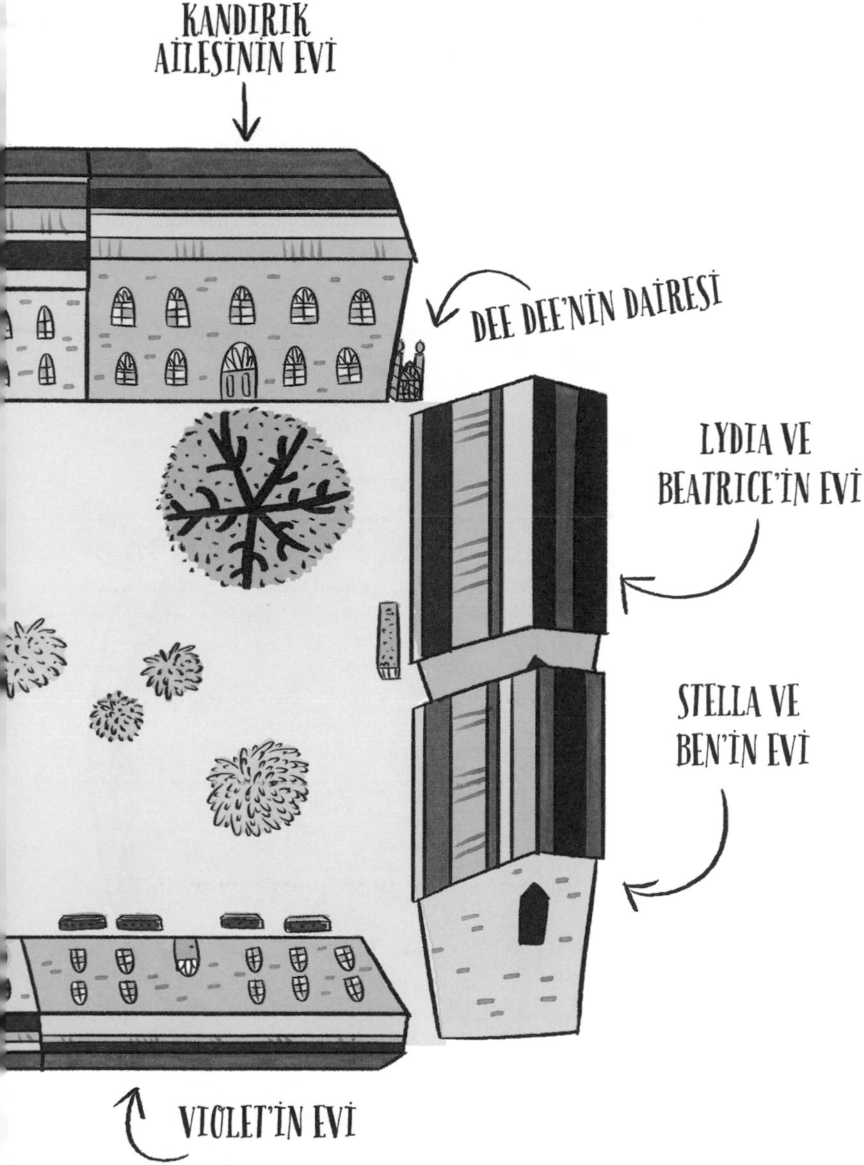

KANDIRIK AİLESİNİN EVİ

DEE DEE'NİN DAİRESİ

LYDIA VE BEATRICE'İN EVİ

STELLA VE BEN'İN EVİ

VIOLET'İN EVİ

CLARA İÇİN - HW

ANNEM İÇİN - BM

Özgün Adı:
VIOLET AND THE PEARL
OF THE ORIENT

First published in Great Britain in 2014 by Simon and Schuster UK Ltd, a CBS company.

Sertifika No: 29619

Çeviren: Elif Dinçer
Editör: Nevin Avan Özdemir

1. Basım: Kasım, 2015
Genel Yayın Numarası: 3432
ISBN: 978-605-332-614-4

AYHAN MATBAASI
Mahmutbey Mah. Devekaldırımı Cad. Gelincik Sok. No: 6 kat: 3
Bağcılar İstanbul – (0212) 445 32 38 – Sertifika No: 22749

TÜRKİYE İŞ BANKASI KÜLTÜR YAYINLARI
İstiklal Caddesi, Meşelik Sokak No: 2/4
Beyoğlu 34433 İstanbul
Tel: (0212) 252 39 91 – Fax: (0212) 252 39 95
www.iskultur.com.tr

Bu, Violet Remy-Robinson adlı bir kızın öyküsüdür.

Violet, kedisi Puding (Yapışkan Karamelli Puding'in kısaltılmışı), takı tasarımcısı olan annesi Camille Remi ve mimar olan babası Benedict Robinson'la birlikte yaşıyor.

Oldukça şık ve inanılmaz derecede düzenli bir evde oturuyorlar. Violet'in evinin arkasında kocaman bir bahçe var. Violet bu bahçeyi diğer tüm çocuklar ve çevrede yaşayan yetişkinlerle paylaşıyor.

Violet'in en iyi arkadaşının adı Rose. Rose da ailesiyle birlikte Violet'in sokağında yaşıyor ve Violet'le aynı okula gidiyor.

Violet okuldan sonra birçok aktiviteye katılıyor. Aslında o kadar yoğun ki, her gün ne yapacağını hatırlayabilsin diye odasında özel bir takvimi var.

Tırmanış, Violet'in yapmayı en çok sevdiği şey; bu yüzden haftada iki kez tırmanışa gidiyor. Violet ailenin tek çocuğu, bu nedenle yetişkinlerle çok fazla vakit geçiriyor. Bu biraz sıkıcı bir şey ama bu sayede Fransızca menü okumak, mükemmel kurabiyeler yapmak ve satranç oynamak gibi son derece faydalı şeyler

de öğrenebiliyor. Ailesi işteyken Violet'e evin kâhyası Norma göz kulak oluyor. Norma çok konuşkan bir kadın değil, ama konuştuğu zaman çok önemli şeyler söylüyor.

Ayrıca Norma dünyanın en lezzetli yemeklerini de yapıyor. Bir zamanlar çok bilge biri Violet'e, bir insanın en sevdiği yemeğin onun hakkında çok şey anlatabileceğini söylemişti. Bu yüzden bu öyküdeki herkesi size doğru şekilde tanıtabilmek için, en sevdikleri yiyecekleri saymanın iyi bir fikir olduğunu düşündüm.

VIOLET

PEYNİR VE DOMATESLİ PİZZA, TEREYAĞLI HAMUR TATLISI, MEYVELİ DONDURMA, TAVUK ÇEVİRME.

CAMILLE

ÇOK İNCE PATATES KIZARTMASI VE BİFTEK, YAPIŞKAN KARAMELLİ PUDİNG (SİZE PUDİNG'İN ADININ NEREDEN GELDİĞİNE DAİR BİR İPUCU VEREBİLİR...).

BENEDICT

SUŞİ (SON DERECE DÜZENLİ YERLEŞTİRİLMİŞ).

BÜYÜKBABA JOHNNY

KAHVELİ CEVİZLİ KEK VE VİSKİ, TERCİHEN İKİSİ BİRLİKTE. TAVUK ÇEVİRME.

ROSE

MİNİK DÜRÜMLER, TUZLU VE SİRKELİ CİPS, SPAGETTİ BOLONEZ.

VAFTİZ ANNE CELESTE

ANNESİNİN SOĞANLI TAVUĞU (KESİNLİKLE ÇOK ÖZLÜYOR).

KONT KANDIRIK

TAVUK CİĞERİ, HAVYAR VE SALYANGOZ (IYYK).

KONTES KANDIRIK

PEK YEMEK YEMİYOR, TADI TUHAF, MEYVELİ SÜTE BENZEYEN PROTEİNLİ İÇECEKLERİ TERCİH EDİYOR.

ISABELLA KANDIRIK

ISTAKOZLU SPAGETTİ VE YER MANTARI YAĞLI HAVYAR GİBİ SÜSLÜ YEMEKLER.

PC GREEN

BASİT YEMEKLER SEVİYOR. BALIK, FIRINDA PATATES VE KURU FASULYE

MUZLU SANDVİÇ, PEYNİRLİ CİPS VE VİŞNELİ KEK. AMA EN SEVDİĞİ ŞEY DAMALI KEK.

KÂHYA NORMA

KIZARMIŞ TAVUK VE BAHARATLI ŞEHRİYE ÇORBASINA BAYILIYOR.

Yemek hakkında fazla konuştuk (bu da benim karnımı acıktırdı), hadi gelin şimdi öykümüze devam edelim.

Her şey penceredeki tilkiyle başladı.

İlk önce zihninizde, güzel bir bahçenin içinde, uzun bir meşe ağacı canlandırmalısınız.

Öykümüz ilkbaharın sonlarında başlıyor, o yüzden ağaç, titrek, yeşil yapraklarla kaplı olmalı. Şimdi de on yaşlarında bir kız çocuğu hayal etmelisiniz; kız, yaşına göre ufak ve zayıf; cetvel gibi dümdüz, koyu kahverengi saçları, buğday teni ve keskin, kahverengi gözleri var. Şimdi kızı baş aşağı çevirin ve ağacın yüksek dallarından birine koyun; kız dala sadece diz-

leriyle tutunmuş ve aşağıda toplanmış bir avuç çocuğa hava atıyor. İşte öykümüzün başlangıcındaki Violet Remy-Robinson.

Onu izleyen çocukların adları Lydia, Charlotte, Ben, Stanley ve Stella'ydı; bu çocuklar 'ortalar' olarak biliniyorlardı. Bahçenin çevresindeki evlerde yaşayan çocukların hepsi farklı yaştaydı; ortalar yediyle on bir yaş arasında olanlardı, bundan daha küçük olanlara 'minik', daha büyük olanlara da 'on ikilik' deniyordu. Ama o anda Violet'i sadece ortalar izliyordu, çünkü minikler çay ve banyo için evlere çağrılmıştı, on ikilikler de salıncakların yanında takılıyor, birbirlerine hava atıyor ve on ikiler ne konuşursa o konuda konuşuyorlardı.

Neyse, biz ağaca tırmanma taktikleri, açılmış ağızlar ve korku-heyecan karışımı bir gerilimle izlenmekte olan Violet'e dönelim. Altı ay önce, tam da bu ağaca tırmandığında (tıpkı şimdiki gibi hava atıyordu) Violet düşmüştü. Kötü şekilde düşmüştü. Sonra da kan, kırılmış kemikler ve bir ambulansı içeren acayip bir heyecan fırtınası yaşanmıştı.

Diğerlerinden ayrı bir yerde oturduğu için bahsetmediğim biri var: Violet'in en iyi arkadaşı Rose Trelawney. Rose, Violet'e biraz benziyordu ama uzun saçları ve iri, tedirgin, mavi gözleri vardı. Rose diğerleri gibi Violet'i izlemiyordu – almayayım teşekkürler! Bu fazlasıyla endişe verici ve korkutucuydu. Violet ne kadar cesursa Rose da o kadar ürkekti. O yüzden Violet'i izlemek yerine Rose, kendi kedisi Kocaman ve Violet'in kedisi Puding'le oynuyordu. Kedilerin karınlarını okşarken, Violet'in acele etmesini ve bir yetişkin onu yakalamadan ya da azarlamadan, güven içinde ağaçtan inme-

sini diledi. Çünkü Rose azarlanmaktan nefret ederdi.

O halde Violet, ailesinin sert uyarılarını ya da onun ağaca çıkmasını yasaklayan birçok doktorun sözlerini neden umursamıyordu? Şey, bu sorunun yanıtı basitti: Violet'in en büyük düşmanı –aynı zamanda Rose'un ağabeyi– olan Stanley ona meydan okumuş, kızların ağaçlara tırmanamayacak kadar sersem ve korkak olduklarını söylemişti. Onun bu hakaretleri karşısında öfkeden yanakları kıpkırmızı olan atılgan Violet, mantıklı biri gibi oradan uzaklaşmamıştı. Ah, hayır, öyle olmadığını Stanley'ye ispat etmeliydi.

İddia, ağacın tepesine ulaşmaktı ve Violet'in hâlâ birazcık yolu vardı, o yüzden sallanmayı bıraktı, ağacın dalına oturdu ve dünyanın dönmesi durana kadar başını ağacın serin gövdesine yasladı.

"Hadi, kıpırda artık! Yoksa çok mu korktun?" diye dalga geçti Stanley aşağıdan.

Violet ona yanıt verme zahmetine girmedi; düşmemeye yoğunlaşmakla meşguldü. Ayrıca daha önce kırılan kolu, harcadığı tüm o efor yüzünden fena halde ağrıyordu. Ağacın tepesi çok yakındı ve dallar gittikçe inceliyordu. Dallardan birine bastığı anda korkunç bir...

Violet öne atılarak, dehşetle dallara tutundu. Aşağıda çığlıklar atan izleyiciler onun kılpayı kurtulduğunu gördüler. Rose kaşlarını çattı. Daha büyük çocuklardan biri olan Tom ağacın dibinde belirdi ve iyi olup olmadığını öğrenmek için Violet'e seslendi. Bu arada Stanley son derece keyifli görünüyordu.

Violet, olduğundan daha sakin ve kendine güvenli bir şekilde, "Ben iyiyim Tom," diye yanıt verdi. Öfkeyle Stanley'ye baktı. Dikkatle başka bir dalın üstüne basarken kendi kendine, "Telaşlanma, neredeyse vardın, bunu yapabilirsin," dedi sertçe. Dal rahatlık verici derecede sağlamdı, böylece Violet kendini yukarı çekti, doğruca ağacın tepesine çıktı ve manza-

raya bakmak için başını yaprakların arasından uzattı. Bahçe, altında tıpkı çimenden bir piknik örtüsü gibi yayılmıştı. Çok yüksek bir şeyin tepesinde olmanın verdiği keyifle etrafına bakındı.

Sonra, aynı anda iki şey oldu. Kolundaki saatin alarmı çaldı, yani saat altıyı çeyrek geçiyordu, eve gitmesi gerekiyordu yoksa (yine) geç kalacaktı. Ve biri onun adını söyledi. Bu, katı ve yabancı aksanlı bir erkek sesiydi.

"Violet!" dedi adam öfkeyle. Violet etrafa bakındı ve babasıyla çalışan inşaatçılardan biri olan Marek'in, Thomson'ların eski evinin çatı katı penceresinden uzandığını gördü. "O ağaca tırmanmaman gerektiğini biliyorsun! Ben babana haber vermeden hemen in oradan!" diye bağırdı ama aynı anda göz de kırpmıştı, böylece Violet onun gerçekten kızmadığını anladı.

Violet ona gülümsedi ve hızla ağaçtan inmeye hazırlanırken, Marek'in yanında duran biri dikkatini çekti. Bu orta yaşlı, sivri suratlı, dalgalı kızıl saçlarını geriye taramış bir adamdı ve dikkatle Violet'i izliyordu. Violet, onun bir tilkiye ne kadar çok benzediğini görerek şaşırdı.

Saatinin alarmı yeniden öttü. Gerçekten eve gitmeliydi, yoksa başı büyük belaya girecekti. Durduğu dalın üstüne oturdu ve acele etme-

meye çalışarak, dikkatle aşağı inmeye başladı. Çevikçe çimenlerin üstüne atladığında herkes alkışlıyor ve ona beşlik çakmak istiyordu. Rose büyük bir rahatlamayla iç geçirdi.

"Violet sana gününü gösterdi Stanley, değil mi?" diye güldü Tom.

Stanley, bir kız tarafından aptal durumuna düşürüldüğü için öfkeliydi. "Koşsan iyi edersin bebecik, yoksa anneciğinle babacığın geç kaldığın için kızarlar," diye alay etti.

Stanley haklı, diye düşündü Violet koşarken; bu arada Rose'a hızlıca el salladı ve "Okulda görüşürüz," dedi. Akşamın en son ve en önemli tırmanışını yapacaktı; evin yağmur borusuna tırmanacak ve açık pencereden, Norma'nın onu yıkamak için hazır beklediği banyoya girecekti.

"Çok, çok geç," dedi Norma başını hayal kırıklığıyla iki yana sallayarak.

"Biliyorum... Çok çok çok özür dilerim," dedi Violet, ılık suya kendini atmadan önce.

Saat altı buçuk, Remi-Robinson evinde büyülü bir vakitti.

Violet'in kibar ve zeki annesi Camille zarafetle bir taksiden inip, ayakkabılarının topukları kaldırımda tıkırdarken; Violet'in kültürlü ve başarılı babası Benedict yavaşça çalışma odasının kapısını kapatıyordu. İkisi de tertemiz, bembeyaz oturma odasına doğru geliyordu; Norma burada onlara leziz kokteyller sunacak ve yiyecekleri harikulade akşam yemeğinden önce, sevgili kızları Violet'le günlerinin nasıl geçtiğini konuşacaklardı.

Norma'nın sadece yedi dakika içinde Violet üzerinde yarattığı değişim inanılmazdı. Oturma odasına girdiğinde Violet tertemizdi ve incir sabunu kokuyordu. Saçı taranarak ışıl ışıl ve dümdüz hale gelmişti; ayrıca daha önce giydiği eski tişört, şort ve spor ayakkabıların yerini ışıltılı mor-beyaz bir elbiseyle parlak, lila babetler almıştı.

"*Cherie*!" diye haykırdı Camille. "Biraz geciktin, ama öyle güzel görünüyorsun ki seni affediyorum." Violet'i sevecenlikle yanağından öperken bir parfüm bulutunun ortasında bırakmıştı. "Gel de misafirlerimizle tanış."

Pencerenin yanında durmuş, elinde bir kokteyl bulunan ve babasıyla konuşan kişi, Marek'in yanından gördüğü adamdan başkası değildi.

Ah, olamaz! Violet telaşlanmıştı. *Beni ağaçta gördüğünü aileme söyleyecek ve başım büyük belaya girecek!*

Violet öyle telaşlanmıştı ki adamın yanında kendi yaşlarında bir kızla, uzun ince bir kadının durduğunu fark etmedi bile. Kadının üzerinde dar, leopar desenli bir elbise ve bolca ışıl ışıl altın mücevher vardı, saçı sapsarıydı ve tepesinin üzerinde tıpkı bir yün yumağı gibi toplanmıştı. Kızın solgun, kendini beğenmiş bir yüzü; uzun kızıl saçları vardı ve annesininkiyle aynı desende bir elbise giymişti.

Violet'in babası, gururla kızının elini tuttu. "Bu, kızımız Violet. Violet, bunlar da Renard ve Coraline, Kont ve Kontes Kandırık; bu da kızları Isabella. Bahçenin hemen karşısındaki evi satın aldılar ve benim de onu yeniden dekore etmemi istediler."

Isabella ve annesi, Violet'e kısaca gülümsediler ama ikisinin de bakışları son derece soğuktu. Fakat Kont hemen o tarafa geldi ve Violet'in elini öptü.

"*Enchanté,* hayatım!" dedi. Violet elini geri çekmemek için kendini zor tuttu; çünkü Kont, o güne kadar gördüğü en tuhaf, turuncu-kahverengi gözlere sahipti... tıpkı bir hayvan gibi. Yakasında taze sarı bir gül bulunan eflatun bir ceket giymişti. Geniş gülümsemesiyle Violet'e baktığında ufak, sivri dişleri göründü. Bu son derece korkutucu bir görüntüydü.

Violet elinden geldiğince kibarca gülümserken, Kont'un onu daha önce bahçede gördüğünü söylememesi için dua ediyordu.

Neyse ki babası konuşmaya başlamıştı. "Şimdi, Sayın Kont, biraz fikir alışverişinde bulunalım mı? Çok güzel bir eviniz var, öyle heyecanlıyım ki." Oda tasarımları ve mutfak montajı üzerine uzun bir sohbet için Kont'u bir kenara doğru götürdü.

Kontes de Camille'le sohbet etmeye başlamıştı. "Renard sizin Smartier için çalışan bir takı tasarımcısı olduğunuzu söyledi. Öyle kıskandım ki! Gördüğünüz gibi," dedi bileziklerini sallayarak, "takılara bayılıyorum. Fark ettiğiniz gibi çalışmama gerek yok; Renard harcayabileceğimden çok daha fazlasını kazanıyor, ayrıca kendimle ilgilenmek de bütün vaktimi alıyor. Ama eğer çalışsaydım, sizin yaptığınız işi yapmak isterdim."

"İltifatınız için *merci,*" dedi Camille gülümseyerek. "Kolyenizdeki enfes bir yakut. Gerçekten çok zarif."

"Biliyorum," dedi Kontes küstahça. "Renard beni şımartıyor, ben de mücevherleri ger-

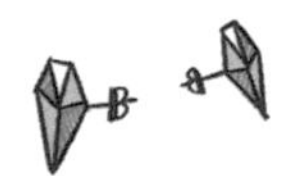

çekten çok seviyorum. Asla sahte bir şey takamam. Fakat taklit mücevher yapma işinde son derece başarılı olan harika bir adam tanıyorum. Sizin gibi gerçek mücevherlere parası yetmeyecek kişiler için muhteşem bir seçenek. Sanırım yanımda kartı olacaktı." Pembe, yılan derisi çantasını karıştırmaya başladı.

Violet, annesinin kibarca gülümsemeyi başardığını görünce çok etkilendi; çünkü Kontes'in son derece kaba olduğunu düşünüyordu. *Zavallı Isabella,* diye düşündü, *böyle bir annem olduğunu hayal bile edemiyorum!* Kibar olmaya çalışarak kıza döndü.

"Buraya taşındığınız için mutluyum. Bahçede bir kız daha görmek harika olacak. Oğlanlar sürekli bize karşı birleşiyorlar. Seni en yakın arkadaşım Rose'la tanıştırmak..."

Isabella onun sözünü kesti. "Aslında ben yatılı okula gidiyorum ve ekstra faaliyetler için çoğunlukla orada kalıyorum. Maçlara da katılıyorum; bütün takımların kaptanıyım," diye böbürlendi. "Tatillerde de ya kayak yapmaya gidiyoruz ya da yatımızla gezmeye çıkıyoruz. Zaten annemin de bahçe çocuklarıyla oynamama izin vereceğini sanmam." Sanki kötü bir koku almış gibi burnunu kırıştırdı.

Ah, olamaz, diye düşündü Violet. *Isabella, Kontes'ten bile daha kötüymüş.* Hemen bitirmesi gereken bir ödev olduğunu söylemek üzereyken, onlara kulak misafiri olan Camille'in

biliyorum, korkunçlar ama lütfen biraz çaba göster, diyen bakışlarıyla karşılaştı. Böylece Violet derin bir nefes aldı ve söyleyecek başka bir şey bulmaya çalıştı.

Tam o sırada Puding pencereden içeri zıpladı. Kedi gelip bacaklarına sürtünürken, Isabella iğrenerek ona baktı. "Bizim de Chiang-Mai isimli bir Siyam kedimiz var, son derece güzel ve zeki bir kedi, paranın alabileceği en iyi cins. Sizin kedinizin cinsi nedir?"

"Ah! Bizimki cins değil. Sadece sokak kedisi. Daha minik bir yavruyken onu bahçede terk edilmiş olarak bulduk," diye yanıt verdi Violet.

"Hımmm, terk edilmiş olmasına şaşırmadım. Ne de çirkin bir kedi!" Isabella ilk defa olarak güldü. "Anne," dedi, annesiyle Camille'in sohbetini bölerek. "Şu kedinin çirkinliğine bak!"

Kontes, Puding'e baktı ve *hi-ha hi-ha* diye gülmeye başladı, sesi bir eşeği andırıyordu.

Violet karşılık olarak kaba bir şey söylemek istedi, ama uygun bir yanıt bulmaya uğraşırken Kontes ona döndü. "Ya sen, Violet, iyi olduğun bir alan var mı? Spor yapar mısın?" Alaycı bir şekilde Violet'e baktı. "Basketbol oy-

namadığın kesin, bunun için fazla kısasın!" Sonra tekrar bir eşek gibi güldü.

Violet'e bu kadarı yetmişti. "Elbette hiçbir sporu yapamayacak kadar kısayım, ben de tüm vaktimi poker oynayarak geçiriyorum, Kontes." Sonra Kontes'in yüzü şaşkınlıkla karışık bir dehşet ifadesiyle çarpılırken, Violet zevk içinde karşısındakini izledi.

"Violet!" dedi Camille nazikçe. "Sadece şaka yapıyor, Kontes. Violet satranca bayılır, ayrıca tırmanış konusunda da çok iyisin, değil mi? Violet'in yarı maymun olduğu konusunda hep şakalar yaparız."

"Ah, bu ne tesadüf! Isabella muhteşem bir tırmanışçıdır! Aslında gençler düzeyinde İngiltere'yi temsil etmişti," diye mırıldandı Kontes.

Camille, Violet gözlerini devirmesin diye onu dirsekleyerek, "Ne kadar da etkileyici," dedi. "Zavallı Violet birkaç ay önce, yeni evinizin yanındaki bahçede bulunan ağaçtan düştü ve kolunu kırdı. Doktorların ağaçlara tırmanma yasağının sona ermesine iki hafta var, fakat benim yasağım ömür boyu. Sadece koruma kordonu takabildiği, spor salonundaki duvara tırmanmaya izni var."

Buna kulak misafiri olan Kont, Violet'e bakarak bir kaşını kaldırınca Violet kıpkırmızı oldu. Ama neyse ki, Camille bunu fark etmedi.

"Violet, yeni komşunuz Dee Dee Derota'yla da çok iyi arkadaştır," dedi Camille, Kontes'e.

"Bodrum kattaki dairede yaşayan şu tuhaf, ihtiyar kadın mı?" diye bağırdı Kontes, yüzü tiksintiyle buruşarak. "Çok tuhaf biri. Hem de korkunç derecede bencil bir kadın. Dairesini satın almamıza izin vermedi, ama bizim oraya bir yüzme havuzu yaptırmamız gerekiyordu. Isabella'nın dalış konusunda pratik yapması o kadar önemli ki."

Violet tekrar kıpkırmızı oldu ama bu seferkinin nedeni öfkeydi. Kontes, Dee Dee'ye tuhaf deme cüretini de nereden buluyordu! Dee Dee oldukça değişik biri olabilirdi, ama asla tuhaf değildi.

"Ben Isabella'nın hiç evde olmadığını sanıyordum," dedi Violet sertçe. "Hep yatınızla gezdiğini söylemişti. Dalış alıştırmalarını orada yapsa olmaz mı?"

Kontes, sanki kendisini rahatsız eden bir sineği kovar gibi Violet'e doğru elini salladı. "Ancak şunu söylemeliyim ki, adı neydi, Doo Doo, şimdiye kadar gördüğüm en inanılmaz mücevhere sahip. Ama elbette bunu biliyor olmalısınız, değil mi, Camille?"

Violet'in annesi şaşırarak baktı ve başını iki yana salladı. "Hayır, bilmiyordum."

Kontes memnun olmuşa benziyordu ve hızla devam etti: "Şey, buna inanmayacaksınız ama elinde dünyanın en değerli..."

Kont, "Bence Bayan Derota çok tatlı bir hanımefendi," diye araya girdi. "Coraline, sevgilim, sanırım bu büyüleyici ailenin zamanını fazlasıyla aldık. Kokteyller için teşekkürler, Camille, Benedict. Ah... ve Violet." Tuhaf, turuncu gözlerini Violet'e dikti. "Annenin sözünü dinlesen iyi edersin. Artık ağaçlara tırmanma."

Akşam yemeğinin ardından, Violet ailesine iyi geceler dilemek için oturma odasına geldiğinde yere düşmüş bir kart buldu. Üzerinde siyah, süslü harfler bulunan kalın bir karttı bu.

"Bu nedir?" diye sordu Violet kartı annesine göstererek.

"Ah, Kontes'in bana verdiği kart. Özel takılar yapan adamın numarası var." Camille, kartı şöminenin üst rafında duran saatin arkasına sıkıştırdı.

"Sence de Kandırık ailesi korkunç değil miydi?" diye sordu Violet.

Annesi bir süre sessiz kaldı. "Bazen insanları tanımak için onlarla birkaç kez görüşmen gerekebilir. Lütfen Isabella'ya iyi davran. Yeni gelen çocuk olmak kolay değildir, denemeli ve onu hoş karşılamalısın."

Violet iç geçirdi. Annesinin haklı olduğundan hiç emin değildi, ama Kandırık ailesiyle iyi geçinmek için elinden geleni yapacaktı.

Dee Dee Derota 1950'lerde Hollywood'da genç bir yıldızdı ("Şimdi anlaşılmasa da o zamanlar tam bir güzelliktim."), Amerikalı bir sinema yönetmeni olan Dave Derota'yla evlendi ("Onu Marilyn Monroe'dan çalmıştım, öyle sinirlenmişti ki.") ve Dave, seksen beş yaşında hayata gözlerini kapatana kadar mutlu ve göz kamaştırıcı bir hayat yaşadı ("Kendinden yirmi yaş büyük bir erkekle evlenirsen bunu yaşarsın işte: dul geçen uzun yıllar."). Dee Dee bundan sonra Amerika'dan ve onun bitip tükenmeyen güneşi, hamburgerleri ve sağlıklı yiyeceklerinden bıktığına karar verdi. Gri gökleri, sağanak yağmurları ve kaliteli çayı özlemişti; bu yüzden memleketi İngiltere'ye döndü.

İşte şımarık İran kedisi Lullabelle'le birlikte, tuhaf mobilyalar, eski kıyafetler, ayakkabılar, mücevherler, kitaplar, plaklar, dergiler, makyaj malzemeleri, güzellik ürünleri ve bunun dışında aklınıza gelebilecek her türlü eşyayla dolu bu dağınık bodrum katında böyle yaşamaya başladı. Fakat dağınıklığa rağmen –ya da onun yüzünden– Violet, Rose'la birlikte oraya gitmeye bayılıyordu. Etrafı karıştırıp elbiseleri ve takıları denemek, fincanlar dolusu şekerli çay içmek, damalı kek ve pey-

nirli cips yemek onları çok mutlu ediyordu. Üstelik Dee Dee onları her gördüğünde çok seviniyordu.

Kont ve Kontes'in ziyaretinden bir gün sonra, satranç dersinin bitimi ve saat altı buçuk arasındaki kısacık sürede Violet, Dee Dee'yi görmeye gitti.

"İçeri gel tatlım, bu taraftayım!" diye seslendi Dee Dee, Violet kapıyı çaldığında. Violet, yaşlı kadını mor kadife koltuğun üstünde, kızıl

saçlarında bigudilerle ve yüzünde çilek reçeline benzeyen bir maskeyle uzanırken buldu. Dee Dee maskesini düzensiz şeritler halinde soymaya başlamıştı, bu da Violet'e biraz iğrenç geldiğinden dikkatini, Dee Dee'nin oturma odasındaki ufak masanın üzerinde duran kocaman sarı gül demetine verdi.

Dee Dee, "Ne kadar güzeller, değil mi?" diye iç geçirdi, Hollywood'da geçirdiği yıllar içinde geliştirdiği kibar aksanıyla. "Sevgili Kont son derece nazik davranarak bunları bana göndermiş."

Violet, zümrüt yeşili bir şişe ojeyi incelerken, "Demek Kont ve Kontes'le tanıştın," dedi ve yuvarlak pembe kilimin üstüne yayılmış olan Lullabelle'in üstünden atladı.

"Elbette hayatım. Onlar benim yeni ev sahiplerim. Aslında bodrumda yüzme havuzu ya da öyle saçma bir şey inşa etmek için dairemden çıkmamı istediler. Hayır dediğimde Kont çok kızdı ve kabalaştı." Dee Dee duraksayarak bigudilerini çıkardı. "Ama şimdi çok iyi arkadaş olduk, özellikle de bana bu muhteşem gülleri gönderdikten sonra. Karısı da o kadar ışıltılıydı ki, kendimi biraz pasaklı hissettim;

kızları da belli ki çok yetenekli." Dee Dee her zaman insanların en iyi yanlarını görürdü. Kusursuz manikürlü tırnaklarıyla, mükemmel bakır buklelerine dokundu. "Şimdi makyaj yapmalıyım, kimse beni bu korkunç suratla görmesin." Sonra yoğun bir makyaj yaptı ve takma kirpikler taktı.

"Şey, bence onlar şimdiye kadar gördüğüm en korkunç insanlar," dedi Violet.

"Ah, Violet, insanlar hakkında böyle kaba cümleler kurmamalısın. Ah, terbiyen nerede kaldı?

Lütfen mutfaktan kendine yiyecek bir şeyler al, sonra da giyinme oyunu oynarsın, olur mu? İnanılmaz derecede güzel bir pembe gece elbisesi buldum, atın payetlerle süslü, eminim üzerinde harika duracaktır. Vegas'ta Frank Sinatra'yla birlikte bir boks maçına giderken giymiştim."

Violet tam yanıt vermek üzereyken saatinin alarmı öttü. "Üzgünüm Dee Dee," dedi. "Akşam yemeği için eve gitmeliyim. Yine geç kalırsam, Norma bana çok kızar." Bunu söyledikten sonra ihtiyar kadının pudralı yanağına bir öpücük kondurdu ve koşarak kapıdan çıktı.

Bahar sona erip yaz geldi ve hava sıcaklığı iyice yükseldi. Yoğun ısı her yanı sardı ve fıskiyelerden sürekli akan suya rağmen bahçenin serin yeşilliği, sarı-kahverengi bir tona büründü. Yetişkinlerin çoğu nemli ve sinirli görünürken, çocuklar bile oyunlarını oynamak için gölgeleri tercih etmeye başladılar.

Violet için hayat okul, sınavlar ve okul sonrası faaliyetler girdabında her zamanki gibi devam ediyordu.

Bu arada Kont ve Kontes Kandırık, Benedict'in evleri için hazırladığı plandan gayet memnundular ve inşaat işleri başlamıştı. Kandırık ailesi bu süre boyunca Ritz'de bir süite yerleşirken, uşakları Ernest de hem etrafa göz kulak olmak hem de kedileri Chiang-Mai'ye bakmak için evde kalmıştı. İşverenlerinin aksine Ernest son derece iyi biriydi ve kısa süre içinde Norma'yla iyi arkadaş oldular.

Çok sıcak bir cuma öğleden sonrasında Violet ve Rose, Norma'yla birlikte okuldan eve yürüyorlardı. Kandırık ailesinin evinin yanından geçerlerken, karartılmış camları olan bir limuzinden inen Isabella'yla burun buruna geldiler. Onun için arabanın kapısını tutan Ernest, Norma'yı gördüğüne epey mutlu olmuş gibi görünüyordu.

Violet, Isabella'yla ilk karşılaştığı akşam annesinin söylediklerini hatırladı ve selam vererek, Isabella'yla Rose'u tanıştırdı.

Isabella onlara sanki pis birer solucanlarmış gibi baktı ve yanıt vermedi. Onun yerine rahatsız edici bir sesle, "Acele et, Ernest!" dedi. "Hemen içeri girelim."

"Evet, elbette Bayan Isabella," diye yanıt verdi Ernest, ön kapıyı açmak için merdivenleri aceleyle çıkarak.

Violet, Isabella'nın arkasından dil çıkarınca Rose kahkahalara boğuldu.

Yürümeye devam etmek üzereyken Violet'in merakı ona engel oldu.

"Sanırım ailen henüz burada yaşamaya başlamadı," diye seslendi Isabella'nın arkasından. "Ayrıca yatılı okuldan neden eve döndün?"

"Burada yaşamıyoruz, sadece ailem için önemli bir şey yapmam gerekiyor," dedi Isabella arkasını bile dönmeden. "Başkalarının işine burnunu sokmamayı öğrenmen gerekiyor, seni meraklı şey!"

O akşam Violet evin içinde dolaşıyor, sıcaktan uyuyamadığı için şikâyet ediyor ve Norma'yı gerçekten sinir ediyordu. Norma bu akşam ona bakıyordu, çünkü Violet'in babası bir iş gezisindeydi ve annesi de yemeğe çıkmıştı.

"Rose'la oynamak için vakit geç oldu, neden Dee Dee'yi ziyarete gitmiyorsun?" dedi Norma. "Akşam yemeğinden arta kalan karidesi de götürebilirsin." Norma, Dee Dee'nin beslenme alışkanlıkları konusunda endişeliydi; o yüzden Violet'le birlikte ona sürekli vitaminli yiyecekler gönderiyordu.

Violet heyecanla başını salladı, Dee Dee'yi görmek onu mutlu edecekti, üstelik Dee Dee'nin buzluğunda naneli-çikolata parçacıklı dondurma gibi serin bir atıştırmalık bulabileceğini umuyordu. Böylece Violet, kulaklarında Norma'nın yirmi dakika içinde dönmesini söyleyen kesin talimatları çınlayarak, elinde yemek kabıyla evden çıktı.

Alaca karanlıkta bahçe sessiz ve neredeyse bomboştu. Lydia'nın ablası Beatrice ve Tom bir bankta oturmuş, konuşuyorlardı ve yanlarından geçen Violet'e el salladılar. Dee Dee'nin dairesine gelen Violet kapıyı çaldı. Yanıt gelmedi. Tüm ışıklar kapalıydı, ama pencerelerden biri ardına kadar açıktı.

Violet, Dee Dee'nin dışarı çıkmış olduğunu düşündü ve tam eve dönmek üzereyken dairenin içinde yanıp sönen bir ışık gördü; sanki sürekli açılıp kapanan bir el fenerini andırıyordu bu. *Bu çok tuhaf,* diye düşündü Violet ve kapıyı tekrar çalarak Dee Dee'ye seslendi. Fakat yine yanıt gelmedi, Violet de geri döndü ve eve gitti.

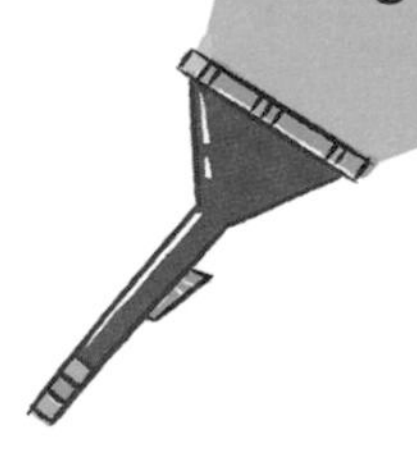

Beatrice ve Tom gitmişlerdi ama bahçeyi bir kez daha geçen Violet, çimenliğin diğer tarafında Puding ve Lullabelle'i gördü. Serin, yeşil çimenlerde oturarak kedileri bir süre okşadı. Orada otururken yanından burnu havada, sevimsiz bir siyam kedisi geçti. *Bu Chiang-Mai olmalı*, diye düşündü Violet, *en az sahipleri kadar kibirli görünüyor*.

Hava artık iyice kararmıştı, o yüzden Violet eve yöneldi. Fakat sonra çok tuhaf bir şey gördü. İlk önce loş ışık yüzünden hayal gördüğünü sandı, bu yüzden durdu ve daha dikkatle bakmaya başladı.

Şimdi açıkça, Kont'un evinin arka tarafındaki yağmur borusuna tırmanan ufak karaltıyı görebiliyordu. Violet daha iyi görebilmek için o tarafa doğru koştu, ama tırmanıcı o kadar hızlıydı ki Violet yetişene kadar o çoktan ortadan kaybolmuştu.

Ne tuhaf, diye düşündü Violet. *Neden biri Kont'un yağmur borusundan yukarı tırmansın ki?*

"Violet, hadi!" diye bağırdı arka kapıya çıkmış ve son derece kızgın görünen Norma. Violet o tarafa doğru koştururken, casusluk yaptığı için başı daha fazla derde girebileceğinden az önce gördüklerini anlatmamaya karar verdi.

Karidesleri Norma'ya geri vererek, "Evde değildi," dedi.

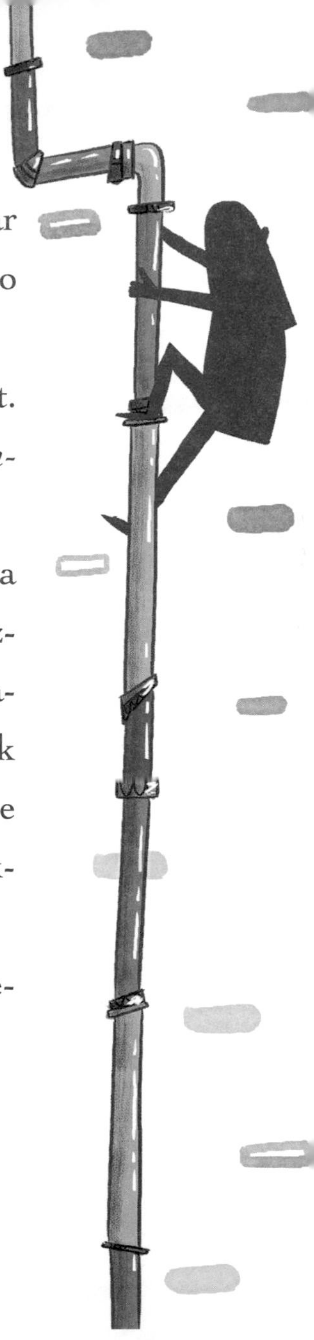

Ertesi sabah Violet geç saatlere kadar uyudu. Uyandığında banyoya gitti. İçerisi buharla ve nefis bir leylak kokusuyla dolmuştu. Annesi küvette uzanmış, başına zümrüt yeşili bir havlu sarmış, ufak bir fincanla kahve içiyordu.

"Günaydın *cherie*. Nasılsın hayatım? Dün gece onca ses ve karmaşaya rağmen uyanmadığına inanamıyorum."

"Ne sesi? Ne oldu ki?" diye sordu Violet.

"Tiyatroya gittiği sırada Dee Dee'nin evi soyulmuş. Sinemadan geldiğimde bütün bahçe polis kaynıyordu."

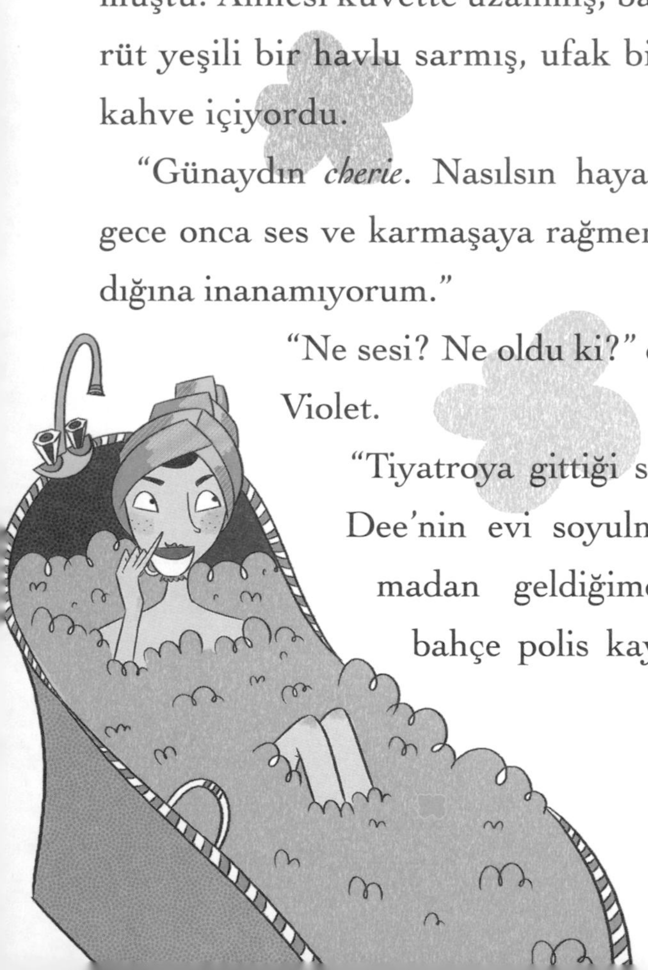

Violet'in annesi iç geçirdi. "Haberler çok kötü çünkü son derece değerli bir broş çalmışlar. Kontes, Dee Dee'nin muhteşem mücevherleri olduğunu söylemişti ama bu kadar pahalı bir takısı olduğunu bilmiyordum. Ayrıca Dee Dee'nin onu evinde sakladığına da inanmıyorum, onu bankaya koymalıydı."

"Doğu'nun İncisi'nden bahsetmiyorsun, değil mi?"

"Evet, ondan bahsediyorum! Sen bunu nereden biliyorsun?" diye sordu annesi şaşkınlık içinde.

"Giysilerini denemeye gittiğimde, Dee Dee onu takmama izin

veriyor. Onu bisküvi kutusunun içinde saklıyor."

Camille ona dehşetle baktıktan sonra sertçe iç geçirdi. "O dünyanın en büyük incilerinden biri. Yıllardan beri kayıptı ve tüm bu süre boyunca bir teneke kutuda duruyormuş, öyle mi?" Violet'in annesi kahvesini bir yudumda bitirdi. "Neyse, Dee Dee o kadar üzgün ki belki daha sonra onu görmeye gitsen iyi olur."

Ama Violet onu dinlemiyor, başka bir şey düşünüyordu. Dee Dee'nin dairesindeki el feneri ışığı, tırmanan karaltı... Elbette! Hırsız! Annesine gördüklerini anlattı.

"*Cherie,*" dedi Camille kararlılıkla; zarifçe

küvetten çıkarak zümrüt yeşili bir havluyu bedenine sardı. "Bunu hemen gidip polise anlatmalıyız. Sanırım hâlâ Dee Dee'nin yanındalar, o yüzden acele et, hemen giyinip onun dairesine gidelim."

Dee Dee'nin yanında hâlâ bir polis memuru vardı. Adı Memur Green'di ve genç, hevesli biriydi. Henüz bir dava çözmemişti; ama bunu denemeye çok, çok istekliydi.

Zavallı Dee Dee bir koltuğa oturmuş, solgun, sönmüş bir balonu andıran bir suratla gözyaşı döküyordu. Violet ve annesi, Kont'un da orada olduğunu gördüklerinde biraz şaşırdılar ama Dee Dee hemen onun ne kadar harika biri olduğunu ve ona nasıl yardım ettiğini anlattı.

Kont, yüzünde ciddi bir endişeyle, "En azından bunu yapayım sevgili hanımefendi," dedi. "Kendimi bir parça suçlu hissetmeden yapamıyorum. Size o tiyatro biletini vermeseydim bunların hiçbiri yaşanmayacaktı."

"Saçmalık," diye itiraz etti Dee Dee. "Kasabadaki en iyi gösteri için bana en güzel yerden bilet hediye ettiğiniz için mi kendinizi suçlu hissediyorsunuz? Komik olmayın. Bu, son derece kibar ve cömert bir hareketti."

Memur Green pencerenin yanında, eldivenli elleriyle bir şeyi ışığa doğru tutmuş, dikkatle inceliyordu. Kont hızla onun yanına gitti.

"Bir ipucu mu buldunuz?" diye sordu Camille. Violet neye baktıklarını görmek için o tarafa gitti.

Memur Green dalgın bir şekilde, "Olabilir," diye yanıt verdi. "Pencerenin çerçevesine birkaç uzun, kızıl saç teli takılmış. Hırsıza ait olabilir."

"Hımm, belki de," dedi Kont hızlıca. "Fakat Memur Green, yanılıyorsam beni affedin ama Bayan Derota'nın da uzun, kızıl saçları olduğunu fark etmediniz mi?"

Memur Green iç geçirdi. "Elbette, ne ahmağım."

"Ama Dee Dee'nin saçı bundan daha açık ve daha bakır renginde," dedi Violet. "Ayrıca bu kadar uzun değil ve..."

Devam etmek üzereydi, ama Kont sertçe onun sözünü kesti. "Violet, yeteneklerine ama-

SAG

tör dedektifliği de eklemeye mi karar verdin?" dedi çok da kibar olmayan bir tavırla; yüzünde sahte bir gülümseme vardı.

Camille kızının yerine yanıt verdi. "Şey, aslında Violet, hırsızın bulunmasına faydası dokunacak şeyler bildiğine inanıyor."

Kont ve Memur Green aynı anda, hızla başlarını kaldırdılar. Dee Dee bile birden canlanmış görünüyordu.

"Dün gece, saat dokuz civarında Violet bahçedeymiş ve bir şey görmüş..."

Ama Camille devam edemeden, Kont hızla Dee Dee'nin yanına koştu.

"Sevgili hanımefendi," diye bağırdı. "Birden renginiz soldu. Yoksa bayılacak mısınız?"

Dee Dee, Kont'un telaşlı yüzünü görünce irkildi. "Ah, şey, gerçekten de kendimi biraz sarsılmış hissediyorum."

"Epeyce solgun görünüyorsunuz hanımefendi," dedi polis memuru düşünceli bir şekilde. "Bu sizin için korkunç bir şok olmalı, sizi muayene etmesi için bir doktor çağıralım mı?"

Camille başını salladı. "Sanırım bu çok iyi olur."

"Ambulans çağırmalıyız," dedi Kont hemen.

Memur Green, böyle şeyler yapmaya alışkın bir adam havasında, "Bunu bana bırakın," dedi. Polise has bir dille telsizini kaldırıp konuşmaya başladı. "Bravo Lima, Delta arıyor. Melrose Yolu 15 numarada acil ambulans ihtiyaç var. Tamam."

Saniyeler sonra sirenler eşliğinde mavi-kırmızı ışıklar göründü ve kapı çalındı. Odaya giren iki genç adam onunla sanki iki yaşında bir bebekmiş gibi konuşmaya başlayınca, Dee Dee biraz neşelenmiş gibiydi. Yine de iki genç adamın kendisini ambulansa taşımalarına izin verdi.

Hâlâ endişeli görünen Kont, "Bence birimiz onunla birlikte gitmeli," dedi. "Ne yazık ki benim Isabella'ya önceden verilmiş bir sözüm var. Hafta sonu bizimle birlikte olabilmek için bu sabah yatılı okuldan geldi ve planımızı iptal edersem çok üzülür. Camille, acaba Bayan Derota'yla birlikte gider misin?" Hüzünlü gözlerle Violet'in annesine baktı.

Bu bir yalan, diye düşündü Violet. *Isabella dün gelmişti. Rose'la birlikte okuldan dönerken onu gördük.*

"Elbette giderim," dedi Camille. "Violet, lütfen Memur Green'e gördüklerini anlat, sonra da doğruca eve, Norma'ya git. Babana da nereye gittiğimi söyle." Hızlıca Dee Dee'nin arkasından gitti vc ambulans bir kez daha sirenler ve dönen mavi-kırmızı ışıklar içinde hızla uzaklaştı.

"Pekâlâ Violet, tam olarak ne gördün?" diye sordu Memur Green nazikçe; kalemi defterinin üstünde hazır bekliyordu.

Violet tereddüt ederek, "Şey, dün akşam saat dokuz civarıydı," diye söze başladı. "Ben de Dee Dee'yi ziyaret etmek için bahçeye geldim-"

"Normalde de geceleri bahçede dolanır mısın, Violet," diye sordu Kont. Suratındaki kibar endişe ifadesi silinip gitmişti.

"Hayır," dedi Violet kızararak. "Ama sıcak yüzünden uyuyamamıştım ve Dee Dee'nin evinde naneli ve çikolata parçacıklı dondurma olabileceğini düşünmüştüm."

Memur Green gülümsedi ve Violet anlatmaya devam etti, yağmur borusundan tırmanan küçük karaltıyı da anlatarak konuşmasını bitirdi.

Kont şüphe dolu bir sesle, "Ne yani, örümcek adam gibi mi?" diye sordu. "Çok fazla televizyon izlemediğine emin misin, Sevgili Violet?" Memur Green'e bakarak kaldırdığı kaşları sanki şöyle der gibiydi: *Bu saçmalığa gerçekten inanıyor musunuz?* Sonra yapmacık bir kibarlıkla konuşmaya başladı. "Dedektif Green..."

"Şey, henüz sadece Memur Green, Kont," diye itiraz etti genç adam, ama gururlandığı her halinden belliydi.

"Affedin, eminim kısa süre içinde yüksek rütbelere ulaşacaksınız. Başmüfettişin yakın arkadaşım olduğundan bahsetmiş miydim? Çok iyi bir insandır... Ah, nerede kalmıştım? Evet, yağmur borusu." Sahte bir gülüşle devam etti. "Benimle gelin Memur Green, şu yağmur borusuna bir bakalım."

Berrak gün ışığında hep birlikte dışarı çıktılar, yağmur borusu çok eski ve çürük görünüyordu. Kont şöyle bir asılınca borunun tamamı duvardan ayrılıverdi.

"Bir hırsızın buna tırmanabileceğini düşünmüyorsunuz, değil mi?" dedi Kont, zafer kazanmış gibi polis memuruna bakarak.

"Hayır, bunun bir çocuktan daha iri birini taşıyabileceğini hiç sanmıyorum," dedi Memur Green.

"Hangi çocuk etrafta dolaşıp, değerli bir mücevheri çalar ki?" diye ekledi Kont hızlıca.

Yüzü kızaran Violet öfkeyle, "Ama ben birini gördüm," diye itiraz etti.

"Hayal gücü çok kuvvetli bir şeydir, Violet," dedi Memur Green ısrarla.

"Ne akıllıca sözler, Memur Green. Polis şefi sizin söylediklerinizi duymalı." Kont, polis memurunun elini sıktı. Sonra, Violet'e tek bir söz bile etmeden oradan uzaklaştı.

"Tamam Violet, hadi seni eve bırakayım," dedi Memur Green, onu Dee Dee'nin dairesine doğru çevirerek.

"Nereye gidiyoruz? Bahçeden geçebiliriz," dedi Violet.

Memur Green, "Ama bunun eğlenceli tarafı nerede?" diye bağırdı. "Devriye arabama binmek istemez misin? Sirenleri ve ışıkları da açabilirim." Polis memuru bu konuda o kadar heyecanlı görünüyordu ki, Violet onun hevesini kırmak istemedi. O yüzden onun peşinden önce Dee Dee'nin evine girdi, sonra da birlikte sokağa çıktılar.

Ancak Memur Green arabasını nereye park ettiğini hatırlamıyordu ve onu bulmak için caddede aşağı yukarı yürürken; Violet karşı kaldırımda dikilmiş, park halindeki bir kamyonetin içindeki bir adamla heyecanlı bir konuşma yapan Kont'u gördü. İki arabanın arasında çömelerek, onlara görülmeden ikisini daha iyi izlemeye çalıştı. Kont sanki birinin onları görmesinden korkar gibi endişeyle etrafına bakındı ve kamyonetin sürücüsüne ufak bir paket uzattı. Bunu yaptıktan sonra koşarak yolun karşısına geçti ve onu bekleyen bir limuzine binerek hızla uzaklaştı. Kamyonet de Violet'in yanından geçerek uzaklaştı. Violet kamyonetin yan tarafında S. AHTE yazdığını fark etti. Bu isin ona neden tanıdık gelmişti?

Fakat Violet bunu düşünmeye vakit bulamadan Memur Green son derece endişeli bir

ifadeyle onun yanına geldi. "Sanırım biri arabamı çalmış!"

Violet caddeyi taradı. "Şu değil mi?" diye sordu, yolun biraz aşağısında park etmiş olan polis arabasını göstererek.

"Evet! Ne kadar da sersemim! Bu hafta üç kez çalındığını rapor ettim, ama her seferinde burnumun dibinde duruyordu."

Arabanın içi çok dağınıktı ve Violet oturabilmek için arka koltuktaki bir kitap ve kâğıt yığınını kenara ittirmek zorunda kaldı.

"Bu muhteşem bir kitap, okumayı daha yeni bitirdim," dedi Me-

mur Green, Violet'in elindeki kitaba bakarak. "Onu okumak sadece altı ayımı aldı," dedi gururla.

Violet'in zihni fikirlerle dolmuştu. "Ödünç alabilir miyim?"

Memur Green memnun olmuş gibi görünüyordu. "Elbette. Şimdi, Violet, biraz eğlenelim mi?" Sonra, yüzünde kocaman bir gülümsemeyle, ışıklarla sireni açtı ve Violet'in evine giden kısacık yolu almak için gaza bastı.

Sonraki hafta, Remy-Robinson ev halkı için oldukça zorlayıcı geçti. Hava hâlâ çok sıcaktı ve hava durumu sunucuları yağmur yağacağını söylese de tek damla düşmüyordu. Gökyüzü karardıkça kararıyor, hava yapış yapış oluyor ve sıcaktan bunalan insanlar her zamankinden daha huysuz davranıyorlardı. Benedict perşembe gününe kadar yoktu ve Camille de yeni koleksiyonunun son birkaç parçasını tasarlamakla meşguldü.

Violet mi? Şey, tırmanan karaltı ve kayıp mücevher bir türlü aklından çıkmıyordu. Bahçede birini gördüğünü biliyordu, Isabella'nın yatılı okuldan dönüşü konusunda Kont'un neden yalan söylediğini ve Violet'in gördüklerini neden bu kadar umursamadığını anlayamıyordu. Sanki Memur Green'in, Violet'in söylediği hiçbir şeye inanmamasını ister gibiydi. Dee Dee'nin mücevherinin bulunmasını istemiyor gibi bir hali vardı.

Violet boş zamanlarının çoğunu Rose'la hırsızlık hakkında konuşarak geçiriyordu, çünkü bu uzun zamandır yaşadıkları en heyecan verici şeydi. Özellikle endişelendikleri iki konu vardı.

Birincisi Dee Dee'ydi. Hastanedeki doktorlar, yaşlı kadının haftayı orada geçirmesi gerektiğine karar vermişlerdi ve Rose'un annesi Maeve'le Camille onu ziyarete gitmişlerdi. Kızlara çok şey anlatmamışlardı, ama kulak misafiri oldukları konuşmalardan anladıkları üzere Dee Dee hâlâ hırsızlık konusunda çok üzgündü ve hiç de iyi değildi.

İkincisi de Memur Green'di. Arabasını bir hafta içinde tam üç kez kaybeden bir polis memuru, gerçekten böyle zor bir hırsızlık davasını çözebilir miydi? Gerçekten de Memur Green, Camille'i arayıp Dee Dee'ye çok üzgün olduğunu iletmesini fakat yeterli kanıt bulamadığı için davayı kapatacağını söylediğinde henüz günlerden Perşembe'ydi.

"Ama bunu yapamaz!" diye bağırdı Violet, annesi bunu ona söylediğinde.

"Katılıyorum, *cherie,* bu çok üzücü. Bence Dee Dee tamamen iyileşene kadar bunu ona söylemeyelim."

"Ama kanıtlar var! Kızıl saça ne oldu? Gördüğüm tırmanan karaltıya ne oldu?"

Camille omuzlarını silkeledi. "Üzgünün Violet. Şimdi biraz çalışmalıyım. Neden gidip Rose'u bulmuyorsun?"

Violet de elinde Memur Green'in suç kitabıyla birlikte tam olarak bunu yaptı.

O gece Violet yatağında uzanmıştı ama bir türlü uyuyamıyordu. *Kim uyuyabilir ki,* diye düşündü. *Büyük bir hırsızlık olayının suçlusunu bulan biri uyuyabilir mi hiç?* Yatağının başındaki lambayı kim bilir kaçıncı kez yaktı ve Rose'la birlikte Memur Green'in kitabından öğrenerek çizdikleri 'suç çözme şemasına' baktı.

Ancak büyük bir sorun vardı. Kimse onlara inanmıyordu. Violet ve Rose şemayı Norma'ya gösterdiklerinde, kadıncağız şaşırmış ve en-

ÇÖZÜLECEK SUÇ: BAYAN DEROTA'NIN, DOĞU'NUN İNCİSİ OLARAK BİLİNEN MÜCEVHERİNİ BULMAK

SUÇ NEREDE İŞLENDİ?

KONT KANDIRIK'TAN ALDIĞI BİLETLE TİYATROYA GİTTİĞİ SIRADA, DEE DEE'NİN EVİNDE!

SUÇA TANIK OLAN KİMSE VAR MI?

EVET, VIOLET REMY-ROBINSON

VARSA NEYE TANIKLI ETMİŞ?

DAİRENİN İÇİNDE YANIP SÖNEN BİR EL FENERİ VE SONRA BİNANIN ARKA TARAFINDAN YUKARI TIRMANAN BİRİ.

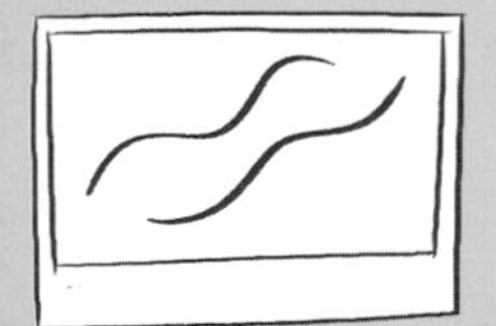

HİÇ İPUCU VAR MI?

PENCEREYE TAKILMIŞ KIZIL SAÇ TELLERİ

BUNDAN HANGİ SONUÇLAR ÇIKARILABİLİR?

HIRSIZIN UZUN, KIZIL SAÇLARI VAR VE AYNI ZAMANDA İYİ TIRMANIYOR.

dişelenmişti. "Bu çok ciddi bir konu," demişti Norma, birini hırsızlıkla suçlama işini kastederek. Violet'in annesi, o kadar çok şaşırıp endişelenmemiş olsa da aynı şeyi söylemişti ve kesin bir şekilde kızları bir yana, Kont ve Kontes'in asla böyle bir şey yapmayacaklarını be-

lirtmişti. Benedict de iş gezisinden döndüğünde aynı tepkiyi vermişti; hiç şaşırmamış ya da endişelenmemişti; fakat Violet'le Rose'un yanıldıklarından emindi, hatta bunu söyledikleri için biraz kızmıştı bile. Rose şemayı annesiyle babasına göstermeye çalışmış, ama onlardan da neredeyse aynı yorumları almıştı.

Elbette bunların hiçbiri kızların bu teoriye olan inançlarını sarsmamıştı; ama ailelerini ve Norma'yı çok sevseler de onların, Dee Dee'nin mücevherini geri alma konusunda işe yaramayacaklarını görmüşlerdi.

O gece yatağında yatan Violet Remy-Robinson bu işi kendi başına halletmesi gerektiğini artık biliyordu (belki kabul ederse biraz da Rose'un yardımıyla). İlk adımı hemen ertesi gün gidip Memur Green'i görmek olacaktı. Herhalde Memur Green bir polis olarak Violet'in çıkardığı sonuçlara ciddiyetle yaklaşırdı...

Şans eseri Violet ve Rose'un okudukları okul olan St Catherine, polis merkezinden sadece birkaç sokak ötedeydi, bu nedenle Memur Green'le konuşmak için okuldan kaçmak Violet'e en kolay yolmuş gibi göründü. Ama elbette bunu söylemek, yapmaktan çok daha kolaydı çünkü okulun güvenlik sistemi çok iyiydi. Giriş telefonları, alarm cihazları, kilitli kapılar ve her köşede sürgülü girişler vardı. Ve Violet'e göre bu, insanları dışarıda tutmaktan çok öğrencileri içeride tutmak için tasarlanmıştı.

Buradan kaçmak, hapishaneden firar etmekten farksız olacaktı.

Violet ertesi sabah dersler başlamadan önce acil bir toplantı yapmak için okul tuvaletinin en sessiz köşesinde Rose'la buluştu. O zamana kadar iyice düşünüp taşınmış ve üç plan yapmıştı. Planları anlatmaya başlayınca Rose'un kaşları endişeyle birleşti; çünkü Violet'e yardım etmeyi çok istese de, yakalanmaları durumunda işitecekleri korkunç azarı düşünmeden edemiyordu.

Rose'un endişelerine rağmen kaybedecek vakit yoktu, o yüzden hemen o sabah Violet A Planı'nı uygulamaya başladı.

İlk dersten sonra Violet, kendine güveni tam bir şekilde, sınıf öğretmeni Bayan Tucker'a, "Dişçiye gitmem gerekiyor," dedi.

Bayan Tucker şaşırmış görünüyordu. "Yoklama defterinde bu konuyla ilgili bir not yok. Annenler bunu okula bildirdiler mi?"

"Ah, evet, kesinlikle. Notu getirip okul sekreterine kendi ellerimle teslim ettim."

Bayan Tucker bir süre düşündü. Violet genel olarak dürüst ve güvenilir bir çocuktu. "Tamam," diye yanıt verdi. "Alt kata inip anneni girişte bekleyebilirsin."

Violet başını salladı, paltosunu aldı ve Bayan Tucker fikrini değiştirmeden, kapıya doğru fırladı. Yanından geçerken Rose dudaklarını oynatarak, "İyi şanslar," dedi.

Okul sekreteri ve ana kapının otomatının koruyucusu olan Bayan Brisk telefonla konuşuyordu. Violet onun konuşmasını bitirmesini beklerken, gergin olduğu zamanlarda hep yaptığı gibi ağırlığını bir ayağından diğerine verip durdu. Sonra, Bayan Brisk telefonu elinden bırakırken son derece rahatsız edici bir şey oldu. Okul müdiresi Bayan Rumperbottom, odasından çıktı. Gözlerini hemen Violet'e dikti.

"Violet," dedi şüpheyle. "Sana nasıl yardımcı olabiliriz? Sınıfta olman gerekmiyor muydu?"

Violet'in cesareti bir anda buharlaşıverdi. Ürkütücü bir kadın olan Bayan Rumperbottom'la yüz yüze geleceğini hiç tahmin etmemişti.

"Şey, ben, galiba, yani, benim dişçiye gitmem gerekiyordu ve şey..." Dikkatle ezberlediği yalanını kekeleyerek söylemeye çalışırken kulaklarına kadar kızarmaya başladığını hissedebiliyordu.

Bayan Rumperbottom susması için onun elini tuttu. "Bayan Brisk, Violet'in ailesinde dişçi ziyaretine dair bir mektup aldınız mı?"

Bayan Brisk başını iki yana salladı. "Hayır Müdire Hanım, korkarım almadım."

"Anlıyorum," diye yanıt verdi Bayan Rumperbottom yavaşça, her bir hecenin üstüne bastırarak. "Görünüşe bakılırsa Violet, yanılmışsın. Bugün dişçiye gitmiyorsun, o yüzden küçük bacaklarının izin verdiğince hızlı koşarak sınıfına dönmeni öneririm." Violet'in, A Planı'nı iptal ederek, merdivenleri tırmanıp sınıfına gitmekten başka seçeneği yoktu.

İlk teneffüste Violet ve Rose, B Planı'nı denediler.

Okulun aşçısı Dorothy Macgüveç neredeyse Bayan Rumperbottom kadar korkutucu bir kadındı, o yüzden Violet ve Rose, mutfak kapısına yaklaşırlarken son derece endişeliydiler. İlk teneffüs günlük yiyecek teslimatının yapıldığı zamana denk geliyordu ve tereddüt içinde döner kapıyı ittiklerinde Bayan Macgüveç'in kasaba bağırdığını duydular.

Bayan Macgüveç, kasabın yaptığı sosislerin korkunçluğundan bahsederken; zavallı adamcağız başını eğmiş, onu dinliyordu. İşittiği azarın kesilmesine neden olan Rose'un ufak bedenini görünce kasabın gözleri mutlulukla parladı.

Rose, Bayan Macgüveç'in arka kapıya sırtını döneceği şekilde durdu ve gerginlik içinde, tasarladıkları hikâyeyi anlatmaya başladı. Annesi, Rose'un glütene alerjisi olduğuna karar vermişti, bu yüzden Rose özel bir öğle yemeği alabilir miydi lütfen?

Bayan Macgüveç bunu son derece rahatsız edici bulmuştu; ama onun ve kasabın dikkatleri öyle dağılmıştı ki, Violet'in sessizce arka kapıya doğru ilerlediğini fark edemediler.

Evet, diye düşündü Violet. *Bu, işe yarayacak*!

Ama tam o sırada ekmekçi arka kapıya geldi, çünkü o da getirdiği ekmekler konusunda iyi bir azar işitmişti. Adam kapıyı çalınca Bayan Macgüveç kapıya doğru baktı.

"Violet!" diye haykırdı.

Violet olduğu yerde dondu ve açıklama yapmaya hazır halde, yavaşça arkasını döndü. Ama Bayan Macgüveç açıklamalarla ilgilenmiyordu. "Okul bahçesine dön bakayım Sen de Rose! Lütfen annene de şunu söyle: Eğer glütensiz yemek istiyorsa, onu paketleyip seninle birlikte göndermek zorunda kalacak!"

Tam bir felaket! Şimdiye kadarki kaçma girişimleri ancak bu kelimeyle tarif edilebilirdi. Böylece Rose ve Violet bahçeye çıktılar, sonra da zorlu ve tehlikeli C Planı'nı konuşmaya başladılar.

"Bunun iyi bir fikir olduğuna emin misin?" diye sordu Rose endişeyle.

Violet yanıt vermeden önce duraksadı, çünkü hiç emin sayılmazdı. Ama sonra Dee Dee'yi

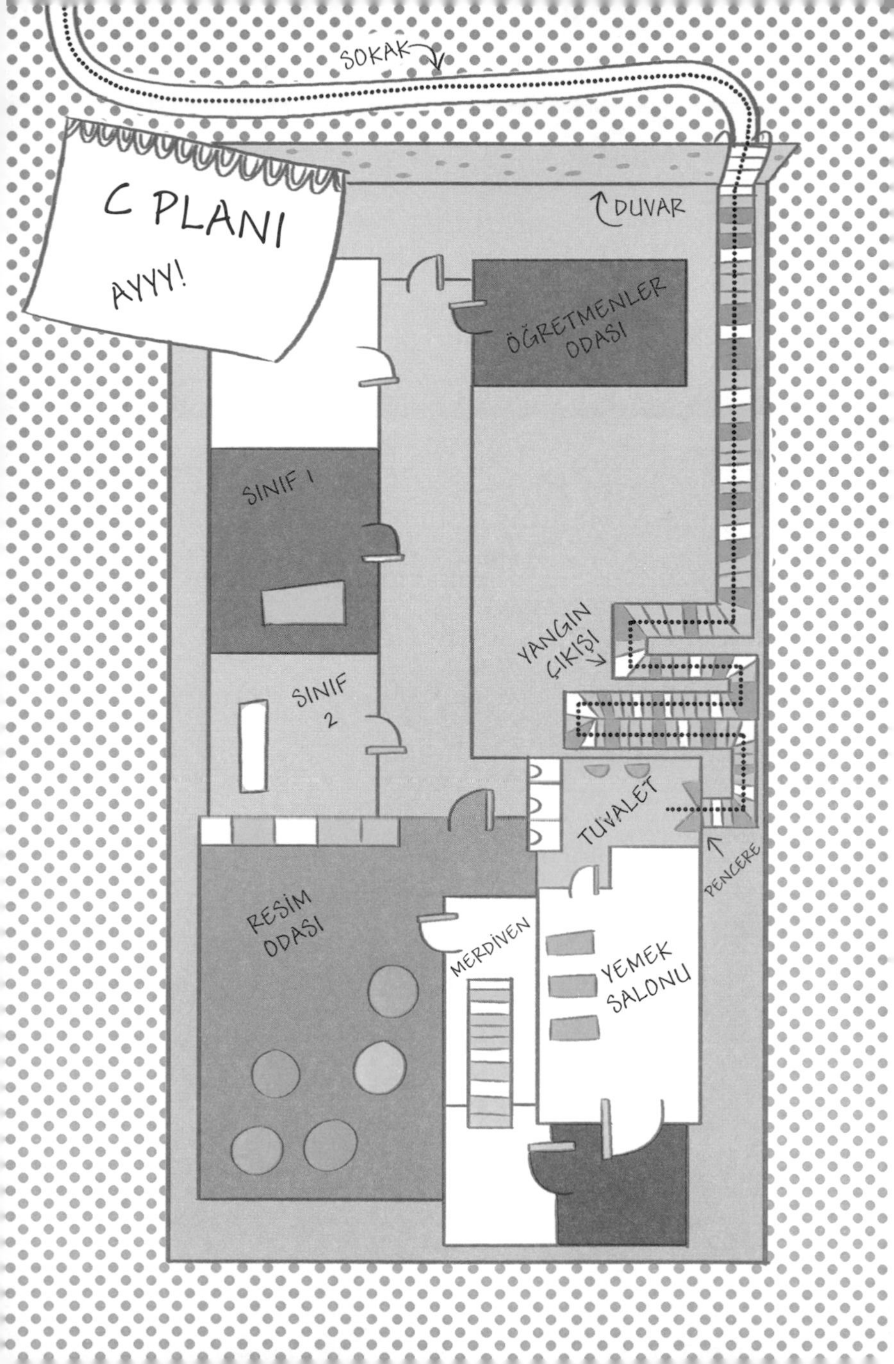

SOKAK

C PLANI

AYYY!

DUVAR

ÖĞRETMENLER ODASI

SINIF 1

SINIF 2

YANGIN ÇIKIŞI

TUVALET

PENCERE

RESİM ODASI

MERDİVEN

YEMEK SALONU

düşündü ve başarabildiği en coşkulu şekilde başını salladı.

Resim dersinin ardından iki kız tuvalete saklanarak sınıfın geri kalanının öğle yemeği için yemek salonuna gitmesini beklediler. Etraf sessizleşince Violet tuvaletin penceresini açtı ve dışarı çıktı; Rose onu kollarından tutarken Violet paslı, eski yangın merdivenine doğru indi. Violet fısıldayarak, "Hoşça kal," dedi, sonra elinden geldiği kadar sessizce binanın ilk katına indi.

Bip biip. Violet'in saatinin alarmı, öğle yemeğinin iki dakika içinde sona ereceğini haber veriyordu.

Ah, olamaz, diye düşündü, *çok vakit kaybetmişim.*

Sonra işin en zor kısmına geldi; yangın merdiveninden, okulun sokağa bakan duvarına inmeliydi. Ve aradaki mesafe Violet'in tahmin ettiğinden daha fazlaydı.

Yangın merdiveninin tırabzanına tutunarak elinden geldiğince ileri uzandı, ama hâlâ duvardan çok uzaktı. Zıplayamazdı, dengesini kaybetmemesi neredeyse imkânsızdı. Ama geri dönecek zaman yoktu ve birkaç dakika içinde herkes yemeğini bitirince, Violet'i binanın arka tarafında sallanırken bulacaklardı. Telaşlanmaya başlamıştı. Birazcık daha ileri nasıl uzanacaktı? Sonra, aşağı doğru bakıp okul kravatını görünce, Violet'in zihninde bir ışık çaktı. Çabucak kravatını çözdü ve tırabzana bağladı. Kravatı sıkıca tutarak kendini aşağı sallandırdı ve duvarın üstüne güvenle inebilmek için elinden geldiğince e-s-n-e-d-i. Yemek zili çaldı; herkes bahçeye akın ederken, Violet sokağa atlamayı başardı ve koşa koşa polis merkezine yollandı.

Memur Green terfi etmiş gibi görünüyordu; güzel bir odası vardı ve Violet herkesin ona Müfettiş Green diye hitap ettiğini fark etti. Green onu gördüğüne sevindi, en azından Violet ona suç çözme şemasını gösterene kadar sevinmişti, sonra polis memurunun yüzü kararıverdi. Daha Violet açıklamasını bitiremeden, Green sertçe onun sözünü kesti.

"Violet, Kandırık ailesi hakkındaki suçlamalarını son derece mantıksız bulduğumu söylemeliyim." Violet itiraz etmeye çalıştı, ama Green öfkeden kıpkırmızı olmuş suratıyla, onu susturmak için elini kaldırdı. "Senin ve şemanın ne kadar hatalı olduğunu anlatmak için saatlerimi harcayabilirim, ama buna vaktim yok çünkü yapmam gereken bir sürü önemli polis işi var. Sana sadece bunu saçma bulmamın en önemli nedenini söyleyeceğim: Bu sabah Kont beni ziyarete geldi ve Doğu'nun İncisi'ni Bayan Derota'nın dairesinin önündeki çiçeklerin arasında bulduğunu ve onu iade ettiğini söyledi. Peki, Violet, bu konuda ne düşünüyorsun?" dedi zafer kazanmış gibi böbürlenerek.

Violet bu habere o kadar şaşırmıştı ki, ne söyleyeceğini bilemedi. Ama bu önemli değildi, çünkü tam o anda kapı nazikçe çalındı. Kapıda genç bir kadın polis belirdi.

"Rahatsız ettiğim için özür dilerim efendim, fakat St Catherine'in az önce kayıp bir öğrenci olduğunu bildirmesinin sizi ilgilendireceğini düşündüm," dedi, doğruca Violet'e bakarak.

"Ah, sevgili Violet," diye gülümsedi Memur Green, dalga geçer gibi. "İşte şimdi başın fena halde belada, değil mi?"

Violet en sonunda ağlamayı bırakarak uykuya daldığında vakit gece yarısını geçmişti.

Camille, Violet'i polis merkezinden almak için işten çıkmak zorunda kalmıştı ve annesinin endişeli, utanmış yüzü Violet'in kendini son derece suçlu hissetmesine neden olmuştu. Bayan Rumperbottom polis merkezine gelmiş ve Camille'e, Violet'in okuldan kaçması yüzünden dehşete düştüğünü ve kızının okuldan uzaklaştırma cezası alacağını söylemişti. Daha da kötüsü Bayan Macgüveç, Rose'u şikâyet etmişti ve Rose da Violet'e yardım ettiği için ceza alacaktı. Dönem bir sonraki hafta sona ereceği için, okul onları Eylül ayına kadar görmek istemiyordu.

Eve döndüklerinde, Benedict onları bekliyordu ve çok öfkeli görünüyordu. Belli ki Kont çoktan Violet'in suçlamalarından haberdar olmuş –şüphesiz Memur Green'den duymuştu– ve Violet'in babasını arayarak öyle yüksek sesle bağırmıştı ki, Benedict telefonu kulağından uzaklaştırmak zorunda kalmıştı. Kont, böyle bir şeyle suçlandığı için ne kadar öfkelendiğini söylemiş ve Benedict'i kovacağını haykırmıştı. Eğer hakkında bir suçlama daha duyarsa, Benedict bir daha asla çalışamazdı. Violet'in ailesi o kadar üzülmüştü ki, Kandırık ailesine uzun ve iğrenç bir özür mektubu yazmışlardı.

Onu rahatlatan tek kişi Norma olmuştu. Violet'e akşam yemeğinde domatesli ve peynirli pizza pişirmiş, sonra da uyumasını kolaylaştırmak için sıcak süt getirmişti. "Bayan Derota çok tatlı bir kadın ve senin arkadaşın," demişti kibarca, Violet'in kolunu şefkatle okşayarak. "Ona yardım etmeye çalıştın, bunun yanlış bir tarafı yok." Ama Violet onu dinlememiş, hiç durmadan ağlamıştı.

Ne yazık ki Violet, Bayan Rumperbottom'un, Rose'un evine yaptığı ziyaretin hiç de Müdire Hanım'ın beklediği gibi geçmediğini ertesine güne kadar öğrenmemişti. Bu, belki de Violet'in kendini biraz daha iyi hissetmesini sağlayabilirdi.

Rose ve onun daha yaşlı ikizi gibi olan annesi, Bayan Rumperbottom'un evin önündeki merdivende olduğunu görünce banyoya saklanmışlardı. Bu yüzden Müdire Hanım'a kapıyı açan kişi Rose'un babası olmuştu. Robert Trelawney son derece başarılı bir avukattı, mahkemeden henüz gelmişti ve beyaz mahkeme peruğuyla cübbesi hâlâ üstündeydi. Kızıyla ilgili durumu öğrenmek istemişti ve Müdire Hanım olayı anlattığında hiç de etkilenmemişti.

"Bir ceza avukatı olarak, Bayan Rumperbottom, sağlam deliller ve ciddi ipuçlarıyla ilgilenen bir insanım; sizinki gibi, en iyi ihtimalle

çürük varsayımlarla değil. Bayan Rumperbottom, görünüşe bakılırsa kızımı, Bayan Macgüveç'ten glütensiz yemek istediği için okuldan uzaklaştırmak niyetindesiniz; bildiğim kadarıyla bu bir suç değil, eğer öyle olsaydı şu an İngiltere'nin yarısının hapiste olması gerekirdi, değil mi? Şimdi, atladığım bir şey var mı?"

Bayan Rumperbottom'un söyleyecek kelime bulamamasına pek nadir rastlanırdı. Aslında o kadar afallamıştı ki, ağzını açıp konuşmaya çalıştığında ağzından bir tek sözcük bile çıkmamıştı. Rose'un babası ön kapıyı açık bırakarak ona dışarıya kadar eşlik etmişti.

"Benimle aynı fikirde olduğunuzu gördüğüme memnun oldum," demişti. "O halde Rose

yarın, her zamanki gibi okula gelecek. Sizi görmek bir zevkti Bayan Rumperbottom. Dilediğiniz zaman beni arayabilirsiniz. İyi geceler." Sonra da kapıyı kadının arkasından kapatmıştı.

Ertesi gün Violet'in vaftiz annesi Celeste, Şili'nin tuz ovaları ve Norveç fiyortları gezilerinin arasında, Violet'in evine uğradı. Herkesin üzgün suratını ve Violet'in şişmiş, kırmızı gözlerini görünce sorunun ne olduğunu sordu. Anlatılanları ciddiyetle dinledi, fakat hikâye bittiğinde dudağının kenarında ufak bir gülümseme vardı.

"Ah, canım. Bunlar çok ciddi şeyler," dedi,

aslında hiç de ciddi olmadığını düşündüğünü gösteren bir ses tonuyla. "Ama bence aynı zamanda Violet'le Rose'un gayreti ve adalet duygusunun açık bir örneği ve bence bunların ikisi de çok güzel özelliklerdir." Violet'e kurnazca göz kırptı. "Okul açısından bakarsak da, en azından Violet, coğrafya öğretmenini sekiz saat boyunca malzeme dolabına kapatıp zavallı kadının neredeyse sinir krizi geçirmesine neden olmak gibi çok, çok, çok kötü bir şey yüzünden okuldan atılmadı, değil mi sevgili Camille?"

Violet'in anlamadığı bir sebepten ötürü annesi kıpkırmızı oldu ve Celeste'e son derece öfkeli bir bakış attı.

Bu, Celeste'in daha da fazla gülümsemesine neden oldu ve Benedict de kahkahayı patlatıverdi. Tam o sırada Norma elinde, kahvaltı için hazırladığı bir tepsi dolusu jambon ve kreple içeri girdi ve Remy-Robinson evinde yeniden mutluluk hâkim oldu.

Celeste sırt çantasından bir şişe şampanya çıkardı.

"Bence kadeh kaldırmalıyız." Pat! Şampanyanın mantarı ve köpüklü sıvı yetişkinlerin kadehlerini doldurdu, Violet de kocaman bir bardak portakal suyu aldı. "Hanımlar beyler, lütfen kadehlerimizi önümüzdeki muhteşem yaza, Bayan Derota'nın broşunun bulunmasına –umarım artık onu bisküvi kutusu yerine bankada saklar– ve Violet'e kaldıralım; neyse ki sadece okuldan uzaklaştırıldı, atılmadı, tıpkı..." Ama Celeste devam edemedi çünkü Camille eliyle onun ağzını sıkıca kapamıştı.

Neyse ki Celeste yaz tatili gerçekten başlayıp, Violet'in okuldan kaçışı ailesi tarafından tamamen affedilene kadar orada kaldı ve Violet de elbette buna çok sevindi. Her zamanki gibi Violet'in tatilinin her dakikası doluydu ve programı şöyleydi:

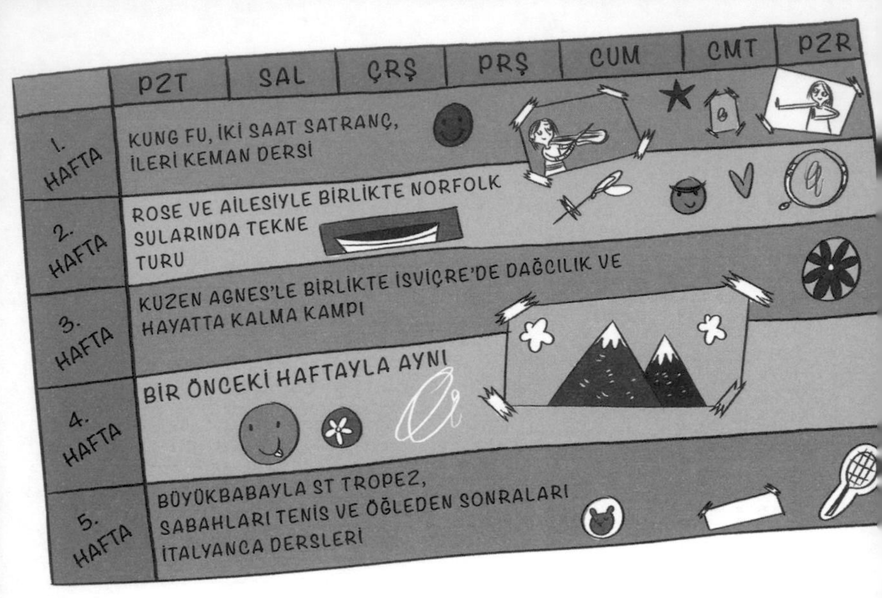

Bu noktada Violet'in Rose'la yaşadığı tekne maceralarından bahsedebilir, Stanley'yi tekneden her gün nasıl suya attığını, o ve yaramaz kuzeni Agnes'in yanlarında sadece birkaç keçiyle dağın tepesinde neden bir gece geçirdiklerini ya da bir kavanoz ahududu reçeli yüzünden büyükbabasıyla başının nasıl derde girdiğini anlatabilirdim… Ama bunun için yerimiz ve zamanımız yok, ayrıca bunların Dee Dee, Kont veya Doğu'nun İncisi'yle de pek alakası olduğu söylenemez. O yüzden hikâyemize kısa bir ara veriyoruz, çünkü korkarım ki broşun Dee Dee'ye geri dönmüş olmasıyla her şey sona ermedi. Ah, hayır, olaylar Eylül'de yine alevlenecek...

"Violet ve Rose, canlarım! Sizi gördüğüme çok sevindim! İkiniz de kapkara olmuşsunuz ve mükemmel görünüyorsunuz!" diye bağırdı Dee Dee, kızlar Eylül'ün ilk günlerinde kapısında belirdiklerinde. Violet'in elinde birkaç yemek paketi ve Venedik'ten hediye olarak getirdiği minyatür gondol vardı. "Ah, üstelik elinde yenebilir hediyelerle gelmişsin. Ne muhteşem! Ve bir de gondol! En sevdiğim ulaşım aracı. İçeri girin."

Dee Dee'nin dairesi her zaman olduğu gibi dağınıktı. Lullabelle odanın ortasındaki bir

giysi yığınının üzerinde yatıyordu ve Violet oturabilmek için koltuğun üzerinde duran eski püskü bir sürü ayakkabıyı itmek zorunda kaldı.

"Bu leziz pastaları keşfettim," dedi Dee Dee, bir tabak Fransız tatlısı uzatarak. "Öyle lezzetli ve hafif ki, üstelik bakın ne kadar da güzeller. Denemelisiniz." Hep birlikte tatlıları atıştırırken, tatil ve yaz hakkında sohbet ettiler. Sonra Dee Dee kızlara Doğu'nun İncisi'yle ilgili planlarından bahsetti.

"Satmaya karar verdim," dedi yüzünde geniş bir gülümsemeyle. "Artık bankada duruyor olması beni mutlu etmiyor. Ayrıca, Kont kiramı fazlasıyla artırmak istediğini söyledi ve kızlar, söylemeliyim ki, emekli bir Hollywood yıldızının emekli maaşı pek de yüksek olmuyor. Neyse ki o inci ihtiyarlığımda beni geçindirecek kadar değerli. Violet, lütfen annene bana önerdiği mücevher uzmanı için teşekkürlerimi ilet. Çok nazik bir hanım ve yarın onunla bir randevum var. Şimdi sadece ne giyeceğime karar vermem gerekiyor."

"Bu harika, Dee Dee. Umarım iyi bir fiyata satarsın," dedi Violet.

"Ah, öyle olacağından eminim. Zengin olacağım!" diye mutlulukla mırıldandı Dee Dee kendi kendine. "Siz ne düşünüyorsunuz canlarım, kanarya sarısı şifonu mu yoksa mor bürümcüğü mü giyeyim?"

Violet ve Rose aynı anda, "Mor bürümcük," dediler.

"Kesinlikle," diye ekledi Violet daha anlaşılır olmak için. "Pastalar için teşekkürler Dee Dee, ama akşam yemeği için eve dönmem gerekiyor."

"Benim de," dedi Rose.

"Tamam canlarım. Görüşmek üzere, kendinize iyi bakın. Norma'ya leziz yemekleri için teşekkürlerimi iletmeyi unutmayın; o muhteşem bir aşçı ve çok tatlı bir kadın."

Kızlar sonbahar güneşine çıktıklarında zihinlerinde aynı şey vardı. İyi ki Doğu'nun İncisi sağ salim Dee Dee'ye geri dönmüştü. Elinde satacak mücevheri olmadığını bir düşünsenize, o zaman Dee Dee'ye ne olurdu?

Ertesi akşam Violet keman çalışmasını bitirmek üzereyken annesi eve geldi. Bu oldukça sıra dışıydı, çünkü saat henüz beşti. Son derece endişeli görünen Camille, Benedict'le konuşmak için çalışma odasına gitti, sonra tekrar dışarı çıkması gerektiğini söyledi.

Saat altı buçuk olduğunda Camille hâlâ dönmemişti ve Benedict çalışma odasında, alçak sesle telefonla konuşuyordu. Violet kapının önünde dolanarak bir şeyler duymaya çalıştı. Sonra babası göründü ve son derece dikkati dağılmış şekilde, doğruca bahçeye çıktı.

Neler oluyordu böyle? Violet heyecandan yerinde duramıyor, bir yandan da kötü bir şey olmasından endişeleniyordu. Benedict gelip ona iyi geceler dileyene kadar Violet neler olduğunu öğrenemedi.

"Annen, Dee Dee'yle birlikte," diye açıkladı babası. "Dee Dee çok üzgün, çünkü broşu

sahteymiş. Çok iyi bir taklitmiş ama sahteymiş işte."

Violet'in ağzı açık kaldı. "Dave Derota, Dee Dee'ye sahte bir mücevher hediye etmiş olamaz; onu çok seviyormuş, hatta Marilyn'den bile çok," dedi onu savunarak.

Yaşanan durumun korkunçluğuna rağmen bu, babasının gülümsemesine neden oldu.

"Dave'in onu çok sevdiğine ve mücevherin sahte olduğunu bilmediğine eminim," dedi. "Ama sahteymiş işte. Annen ve bir başka mücevher uzmanı onu incelediler. Bu, Dee Dee için tam bir felaket. Rose'la sana, Kont'un kiraya inanılmaz bir zam yaptığından bahsetmiştir. Ama eminim Kont adil davranır ve yaşayacak yeni bir yer bulana kadar ona birkaç ay izin verir. Taşınmasına hepimiz yardım ederiz."

Violet'in gözleri yaşlarla doldu. "Ama orası Dee Dee'nin evi, taşınmak zorunda olmamalı, bu haksızlık! Kont zaten yeterince zengin, neden daha fazla paraya ihtiyacı var ki? Eminim hâlâ o tatlı daireyi yüzme havuzuna çevirmek istediği içindir! Hatırladın mı, buraya ilk geldiğinde de ondan daireyi boşaltmasını..."

"Şşşt, üzülme tatlım, biliyorum bu haksızlık gibi görünüyor, ama ne yazık ki dünya böyle işliyor."

"Ama bu yanlış," dedi Violet. "Dee Dee'yi görmek istiyorum." Yataktan kalktı.

"Hayır," diye ısrar etti babası. "Violet, Dee Dee çok üzgün ve onu böyle görmeni istemez. Annen zaten onunla birlikte. Onu görmeye yarın gitsen daha iyi olur. Şimdi uyu. İyi geceler." Babası onun yanağını okşadı.

Violet babasına iyi geceler öpücü verirken son derece öfkeliydi ve bu korkunç şanssızlık karşısında Dee Dee'ye nasıl yardım edebileceğini düşünüyordu.

Ertesi gün Cumartesi'ydi ve Violet'le Rose, sabah erkenden yaptıkları acil toplantının ardından Dee Dee için para toplama işine giriştiler. Bahçede bir limonata ve kek tezgâhı açtılar ve tezgâhları o kadar çok ilgi gördü ki, günün sonunda koca bir kavanoz dolusu bozuk paraları oldu. Paraları dikkatlice saydılar. Yirmi iki sterlin ve doksan dört peni toplamışlardı. Bu çok büyük bir rakamdı. Herhalde Dee Dee'nin kirasını karşılamasına yardım ederdi.

Violet, elinde para kavanozu ve bir kutu Fransız tatlısıyla Dee Dee'nin kapısını çal-

dığında, son derece ümitliydi. Fakat sonra Dee Dee kapıyı açtı, her zamankinden farklı görünüyordu. Makyajı yoktu ve tepesindeki topuzu darmadağınıktı. Dee Dee belli belirsiz bir gülümsemeyle kavanozu ve tatlıları alırken, Violet onun ne kadar yorgun ve yaşlı göründüğüne inanamadı.

"Tatlım, sizi içeri davet etmezsem üzülmezsiniz, değil mi? Biraz yorgunum da. Ama şu tatlılardan almalısınız. Bunlar ve para için çok teşekkür ederim. Sizi çok özleyeceğim, buradan..." diyerek duraksadı, gözleri yaşlarla dolmuştu. "Gitmem lazım hayatım, ama kendimi biraz daha iyi hissettiğim bir gün beni ziyarete gelin, olur mu?"

Violet başını sallamakla yetindi, konuşamayacak kadar üzülmüştü. Şimdiye kadar bir yetişkinin ağladığını hiç görmemişti ve bu, onu çok mutsuz etmişti. Dee Dee kapıyı kapattı ve Violet de merdivenleri geri çıkarak bahçeye döndü. Kont ve Kontes, yeniledikleri evlerine taşınmışlardı ve ışıkları hepsi açıktı. Kontes'in eşekleri andıran kahkahası ilk kattaki açık camların birinden dışarı taşıyordu. Violet, tıpkı içine su doldurulan bir fincan gibi öfkeyle doldu. Dee Dee'yi bu kadar mutsuz eden bu

insanlar ne cüretle böyle kahkahalar atabiliyorlardı. Violet, yasak olmasına aldırmaksızın, kendini meşe ağacına tırmanırken buldu.

Ağacın yaprakları Violet'i tamamen gizliyordu, fakat Kont'un devasa yemek salonunu rahatça görmesini sağlayacak kadar boşluk da vardı. Akşam yemeğini Ernest servis ediyordu; pahalı bir restoranın garsonu gibi giyinmişti

ve elinde gümüş bir tepsiyle masanın etrafında dolanıp duruyordu.

Kont'un, "Coraline, aşkım," diyen sesi onları izleyen Violet'e kadar ulaştı ve Kont kadehini, altın rengi ipek elbisesi perdelerle uyumlu Kontes'e doğru kaldırdı.

"Renard, Kontum," diye yanıtladı Kontes kadehinden bir yudum alarak. "Bana verdiğin minik ama muhteşem hediyeye nasıl bayıldığımı anlatamam." Ve göğsünde takılı olan, Violet'in göremediği bir şeyi okşadı.

"Bence dâhi arkadaşımız Bay Steve Ahte'ye de kadeh kaldırmalıyız, ne dersin? O olmadan bu hediye asla elime geçmezdi ve bodruma da muhteşem havuzumuzu inşa edemezdik!" İkisi de kıkırdadı.

Yine o isim, diye düşündü Violet. Kamyonetin üstünde gördüğü ve başka bir yerden de duyduğu isimdi bu. Keşke hatırlayabilseydi. Tam o sırada Violet aşağıdan gelen hışırtıyı duydu ve aşağı bakınca, ağaca tırmanmakta olan tanıdık sarı saçları gördü. Tüm ihtiyacı olan da buydu.

"Selam bebecik, ne yapıyorsun?" dedi Stan-

ley o rahatsız edici ses tonuyla. "Umarım casusluk yapmıyorsundur."

"Kes sesini ve git buradan!" diye fısıldadı Violet, Stanley onun yanına tırmanırken.

"Vay be," dedi Stanley. "Buradan evin içi ne güzel görünüyormuş."

Rose da ağacın dibinde ortaya çıkmak için tam o anı beklemiş gibiydi.

"İkiniz de hemen aşağı inin. Bu çok tehlikeli!" diye endişeyle bağırdı ağaca doğru.

Violet ve Stanley aynı anda, "Şşşşşt!" dediler.

Ama artık çok geçti. Kontes gülmeyi bıraktı ve dikkatle etrafı dinlemeye başladı.

Karısı ayağa kalkıp pencereye doğru giderken Kont, "Ne oldu aşkım?" diye sordu endişeyle.

Kontes camdan dışarı bakarken, "Bir ses duydum," dedi. Buz gibi soğuk, mavi gözleri ağaca sabitlemişti. Violet ve Stanley saklanmaya çalışarak kendilerini ağacın gövdesine iyice yapıştırdılar.

"Eminim bahçede oynayan çocuklardan geliyordur, tatlım," dedi Kont.

Kontes, "Hayır, bu ses çok yakından geliyordu," dedi ve pencereyi gürültüyle kapattığı anda Rose diğerlerinin yanına tırmandı.

"Aşağı inin lütfen! Ayrıca ikiniz birden neye bakıyorsunuz öyle?" diye sordu pencereye dönerek.

Hep birlikte, büyülenmiş gibi, Kontes'in göğsüne iliştirilmiş mücevhere bakarlarken Stanley, "O ne kadar da KOCAMAN bir broş öyle," dedi.

"Ama bu... Bu kadın neden Doğu'nun İnci-si'ni takıyor?" diye fısıldadı Rose.

Violet, "Bilmiyorum," diye yanıt verdi, "fakat bunu öğrenmemiz gerekiyor."

Vakit geç olmuş ve hava kararmıştı, ancak kızların konuşacak çok şeyleri vardı. Ne yapacaklardı? Gece birlikte kalmaları gerektiğine karar verdiler ve Rose'un annesinden tatlı dille izin istemeye gittiler – Rose'un annesi hiçbir şeye hayır diyemeyen bir kadıncağızdı. Beş dakika sonra Rose, elinde pijaması ve diş fırçasıyla Violet'in evine doğru gidiyordu. Oturma odasına girdiklerinde Violet birdenbire durdu.

"Ah, Rose! O ismi neden bildiğimi şimdi hatırladım, Bay Ahte!" diye bağırdı. Şömineye doğru gitti ve saatin arkasındaki kartviziti çıkardı.

"Bu, Kontes'in anneme önerdiği, mücevherlerin sahtelerini yapan adam," diye açıkladı Rose'a. "Kontes kokteyl için geldiğinde bu kartı bırakmıştı; ayrıca inci çalındıktan bir gün sonra, Dee Dee'nin dairesinin önünde Kont'u, onunla konuşurken görmüştüm. Az önce de Kandırık ailesi Bay Ahte için kadeh kaldırıyordu... fakat Kontes daha önce, asla sahte mücevher takmadığını da söylemişti. Anlayamıyorum. Acaba Bay Ahte onlar için ne yapmış olabilir?" Violet yanıtın gözünün önünde olduğunu hissediyor, ama bir türlü onu bulamıyordu.

"Ben anladım," dedi Rose yavaşça. "Violet, ya sen haklıysan ve Isabella gerçekten de ailesi için o mücevheri çaldıysa? Onu babasına vermiştir ve ertesi gün babasını gördüğünde o da broşu Bay Ahte'ye veriyordur. Bay Ahte mücevherin sahtesini yapmış olabilir, böylece birbirinin aynısı, fakat biri gerçek diğeri de sahte iki mücevher olur."

Violet ufak bir çığlık attı. Rose neler olduğunu çözmüştü!

Her şey açıklığa kavuşurken Violet, "Evet!" dedi. "Sonra Kont, broşu çimenlerin arasında bulmuş gibi yaptı ve gerçek mücevherin yerine Dee Dee'ye sahte olanı verdi. Dee Dee farkı anlayamadı! Ancak satmaya çalıştığı zaman onun sahte olduğunu öğrendi. İşte bu! Rose, sen çok zekisin!" Violet heyecanla, olduğu yerde zıpladı.

"Amanın!" diye bağırdı Benedict, odaya girdiğinde. "Niye böyle heyecanlısınız bakalım?"

Violet her zaman olduğu gibi, her şeyi babasına anlatmak üzereydi ama Rose hızla araya girdi.

"Bu bir sır," dedi ve Violet'i hızla oradan uzaklaştırdı. Çünkü, dişlerini fırçaladıkları sırada arkadaşına anlattığı gibi, her şey daha öncekinin aynısı olacaktı. Onlara kimse inanmayacak ve Kont da her şeyi inkâr edecekti.

Bu son derece korkutucu olsa da, eğer Doğu'nun İncisi'ni almak istiyorlarsa bunu kendi başlarına yapmak zorundaydılar. Bu nedenle kimseye bir şey anlatmadılar. Şey, aslında bu pek doğru sayılmazdı, Violet olanları Norma'ya anlattı. Ama Norma hiçbir şey söylemedi. Tek bir kelime bile etmedi. Açıkçası Violet, Norma'nın onu dinlediğinden bile emin değildi çünkü Norma hemen konuyu değiştirerek hava hakkında konuşmaya başlamıştı.

Violet ve Rose, Dee Dee'nin mücevherini Kandırık ailesinin elinden nasıl alacaklarını belki milyonuncu kez konuşmuşlardı ama bir türlü iyi bir plan yapamamışlardı. İkisi de bunun imkânsız olduğunu düşünmeye başlamıştı; ama bunu yüksek sesle söyleyecek cesaretleri yoktu, çünkü Dee Dee gerçekten çok üzgündü.

Sonra bir şey oldu.

Violet'in evinde geçirdikleri geceden bir hafta sonra Violet okuldan eve geldi ve holdeki masanın üstünde siyah, büyük bir zarf buldu.

Zarfın üzerinde kıvrımlı, gümüş renkli harflerle Remy-Robinson ailesinin adresi yazılmıştı.

Bir parti davetiyesine benziyor, diye düşündü Violet, *ne heyecan verici!*

Evet, bu bir davetiyeydi ama Violet'in gitmek istediği türden bir parti değildi…

Violet'in annesi daha sonra, kokteylini yudumlayıp elinde açılmış siyah zarfla, "Kont ve Kontes Kandırık'la Isabella'dan bir davetiye gelmiş! Ne kibarlık," dedi. "Bak Violet, bu bir Cadılar Bayramı partisi... yani kostüm giymemiz gerekiyor, değil mi?" diye ekledi telaşla.

Benedict, davetiyeyi onun elinden alıp Violet'e vermeden önce incelerken, "Korkarım öyle," diye yanıt verdi.

Violet'in oraya gitmeye niyeti yoktu; Dee Dee'ye yaptıkları yüzünden Kandırık ailesinden nefret ediyordu ve okuldan çok yakın bir arkadaşının da aynı gece Cadılar Bayramı partisi verdiğini, oraya gitmek zorunda olduğunu söylemek üzereydi. Tam o sırada Norma, sanki onun zihnini okumuş gibi, "Violet, gitmelisin," dedi. "Eğlenceli olur. Sana çok güzel bir kıyafet dikeceğim, sen de etrafa bakma şansı elde edeceksin ve babanın nasıl güzel bir iş çıkardığını göreceksin. Ayrıca Rose ve bahçeden diğer çocuklar da muhtemelen gelecektir."

Violet şaşkına dönmüştü çünkü Norma'nın böyle uzun konuştuğunu görmek pek mümkün olmazdı, üstelik oldukça ısrarcıydı da.

"Tamam, olabilir," diye homurdandı Violet. *Belki bir şey olur*, diye düşündü, mesela Kontes o gece broşu takar ve Violet de onu Kontes'ten alabilirdi. Ama Violet bile bu olasılığın çok, çok düşük olduğunun farkındaydı.

Daha sonra Rose gelerek onun ailesinin de davet edildiğini söyledi. Stanley başka bir partiye gidecekti ama ailesi, Kandırık'ların partisine gitmeye istekliydi. Böyle kızlar, Kandırık ailesinin partisi bu dünya üzerinde bulunmak istedikleri en son yer olsa da, bu fırsatı iyi bir araştırma için değerlendirmeye karar verdiler.

Dee Dee de davet edilmişti, ancak pek parti havasında olmadığını söyleyerek bu teklifi kibarca reddetmişti.

"Cadılar Bayramı'nız kutlu olsun! Ben Kont Dracula." Turuncu gözleri ışıldayan Kont, herkesi kapıda karşıladı. Eski model beyaz bir gömlek ve siyah takım elbise giymişti, kızıl saç-

ları beyaz pudrayla ağartılmış ve jöleyle geriye yatırılmıştı. Makyaj yapılmış suratı bir ölününki kadar beyazdı, gözlerinin etrafında siyah halkalar vardı ve kıpkırmızı ağzından, ucundan sahte kan damlayan devasa sivri dişler fırlamıştı.

Kontun görünüşü yüzünden cesareti kırılmış görünen Camille, "İyi akşamlar," diye yanıt verdi. "Ne güzel bir makyaj, tıpkı gerçek bir vampire benzemişsiniz." Violet'in annesi elinden geleni yapmış, siyah bir elbise giymiş, simsiyah bir peruk takmış ve normalde yaptığından daha fazla makyaj yapmıştı ama son derece zarif görünüyordu ve kesinlikle korkutucu değildi.

Aynı şeyi Kontes ve Isabella için söylemek mümkün değildi, ikisi holde misafirlerin üstüne atlayarak onları korkutuyor, sonra da deli kediler gibi havayı pençeleyip zıplayarak tuhaf ve korkutucu şekilde dans ediyorlardı. Birbiriyle uyumlu, siyah kauçuk kedi kostümleri giymişlerdi. Kostümlerinin belli bölgeleri kesilmiş, yerine kırmızı balık ağı dikilmişti. Anneyle kızın kafalarında canlı, kızıl birer peruk ve yüzlerinde de oldukça ağır sayılabilecek bir makyaj vardı.

Violet ve ailesi bir süre, şaşkınlıkları geçip görüntüyü sindirene kadar sessizlik içinde durdular; sonra Benedict kibarca kekelemeyi başardı: "Şey, siz ikiniz çok... etkileyici görünüyorsunuz!" O da bir büyücü kostümü giymişti ama korkutucu değil, narin görünüyordu.

Norma sözünde durmuş, Violet için altın ve gümüş renklerinde muhteşem bir iskelet kostümü dikmişti. Onun kostümünü görünce Isabella'nın yüzü kıskançlıkla buruştu.

"Ev ne kadar da kusursuzca korkutucu olmuş, değil mi?" diye haykırdı Camille.

Gerçekten de öyleydi. Tek ışık kaynağı, mumlar damlayan şamdanlardı ve gölgelerle dolu her bir santim örümcek ağları, kara tozlar, bal kabağı yığınları, kafatasları ve başka korkutucu şeylerle sarılmıştı.

Fakat Kont ve Kontes, Camille'in iltifatlarını dinlemiyorlardı. Özel şoförün kullandığı devasa bir limuzin gelip evin önünde durmuştu.

Kontes, "Scnitzel von Karıncalarvasıgil gel-

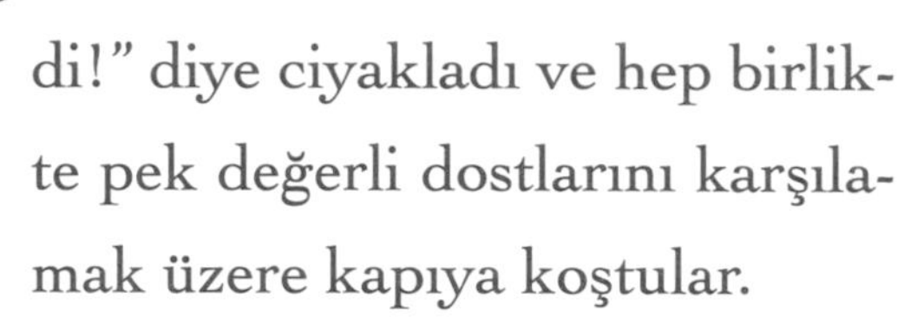

di!" diye ciyakladı ve hep birlikte pek değerli dostlarını karşılamak üzere kapıya koştular.

Violet salonda Rose ve ailesini gördü, elinde bir tepsi içecek tutan, bal kabağı kostümlü birinin yanında duruyorlardı. Rose'un annesi ve babası zombi kostümü giymişlerdi ve Remy-Robinson ailesini içtenlikle selamladılar. Camille ve Benedict tepsiden birer içecek aldılar ve Rose'un ailesiyle konuşmak için arkalarını döndükleri sırada, bal kabağı, Violet'e kâğıt katlanarak yapılmış bir cadı şapkası uzattı. Şapkanın ön tarafında ışıltılı harflerle BENİ AÇ yazıyordu.

Meraklanan Violet katları açtı ve omuzunun üstünden bakmakta olan Rose'la birlikte kâğıtta yazanları okumaya başladılar.

!!ÇOK GİZLİ!!

Sevgili Violet ve Rose,
Bu not, Doğu'nun İncisi'ni geri almanıza yardım edecek talimatlar içeriyor. Hiç kimseye söylemeyin ve okuduktan sonra notu saklayın!
İlk olarak gidip partideki diğer çocuklarla oynayın. Akşam yemeğinden önceki son oyun toplangaç olacak. Siz oyun oynayanların yanından gizlice ayrılın ve Kont'la Kontes'in yatak odasına gidin. Isabella o odanın kilitli olduğunu ve oraya saklanamayacağınızı söyleyecektir. Sizi hiç kimsenin görmediğinden emin olun. Kapı çok kısa bir süre için kilitli olmayacak, o yüzden acele edin! Broş, en büyük gardırobun arkasındaki kasada saklı ve kasanın şifresi de I-S-A-B-E-L-L-A. İşiniz bitince kasanın kapısını kapatın, mücevheri cebinize koyun ve dışarı çıkarak diğerlerine katılın. Çok hızlı ve çok sessiz olun!

İyi şanslar!
Bir dost

"Orada ne var, kızlar?" Kont'un yüzü hemen önlerinde belirdi. Rose, Violet'in arkasına saklandı.

"Ah, hiçbir şey. Sadece arkadaşımdan bir not," diye yanıt verdi Violet, kâğıt parçasını cebine tıkıştırarak.

"Tamam, hadi koşun da diğer çocuklara katılın, Isabella muhteşem oyunlar hazırladı," dedi Kont. Kızlar uzaklaşırken gözlerini onlardan bir an bile ayırmadı.

Violet ve Rose buna çok şaşırmış olsalar da, iyi vakit geçirdiklerini fark ettiler. Isabella'nın arkadaşlarının çoğu onun gibi kötü niyetliydi, ama yatılı okulun yurdunda Isabella'yla aynı odada kalma talihsizliğini yaşayan birkaç tatlı kız da vardı. Aslında Violet 'elma avı' ve 'eşeğe kuyruk takmaca' oynarken öyle iyi vakit geçirmişti ki, ancak Isabella toplangaç oyununun başlayacağını söylediğinde ve Rose onu kuvvetlice dirsekledikten sonra gizli bir görevleri olduğunu hatırlayabildi.

"Şimdi ben saklanacağım," dedi Isabella otoriter bir sesle. Annemle babamın birinci kattaki yatak odası dışında evin her yerine saklanabilirim. O oda kapalı, çünkü biz çok zenginiz ve o kadar değerli şeylerimiz var ki, kapıyı açık bırakma riskine giremeyiz," diye böbürlendi. "Şimdi, gözlerinizi kapatın ve saymaya başlayın!"

Biraz zaman geçtikten sonra oyun tüm hızıyla sürerken, Rose ve Violet hızla birinci kata çıkarak yatak odasının kapısını açmaya çalıştılar. Kilitli değildi! Kapıyı sessizce açtılar,

ay ışığının aydınlattığı odaya girdiler ve devasa gardıroba doğru ilerlediler.

Violet, "Sen gözcülük yap," diye fısıldadı, Rose da başını sallayarak bunu kabul etti. Sonra Violet, kendini Narnia'yı bulmak üzere olan Lucy gibi hissederek gardırobun kapağını açtı ve Kontes'in kürklerinin arasında ilerledi. Kasa, tıpkı mektupta yazdığı gibi arka taraftaydı. Violet bunu hiç beklemiyordu, ama kasa kalp şeklindeydi. Minik tuş takımında I-S-A-B-E-L-L-A harflerini girerken, *ıyk, nasıl da yapış yapış*, diye düşündü.

Ama kasa açılmadı, onun yerine bipledi ve ekranda yanıp sönen bir mesaj belirdi.

Violet çok şaşırmıştı.

ŞİFRE YANLIŞ. İKİ
HATA DAHA YAPILIRSA
ALARM ÇALACAK.

"Rose," diye fısıldadı. "Isabella nasıl yazılıyordu?"

"I-S-A-B-E-L-L-A," diye yanıt verdi Rose. "Lütfen acele et!" O kadar gergindi ki, o an patlayacağını düşündü.

Violet harfleri tekrar girdi. Kasadan düşmanca bir bip sesi daha yükseldi.

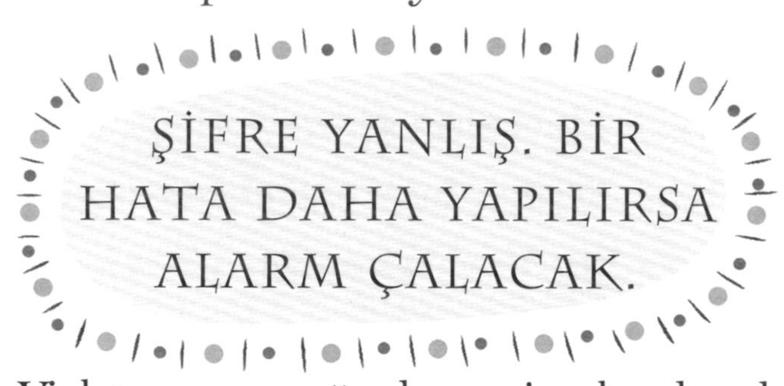

Violet ne yapacağından emin olmadan duraksadı. Nottaki şifre yanlış olmalıydı. Ama başka ne olabilirdi ki?

Düşünceleri, Rose'un titrek fısıltısıyla kesildi. "Sanırım biri geliyor!"

Violet donakaldı, çünkü ayak seslerini o da duymuştu.

"Bunların anlamı nedir?" diye gürledi bir erkek sesi.

"Ben çok, çok özür dilerim, B... Bay... Kont..." diye kekeledi Rose dehşete düşmüş bir sesle.

Violet'in kalbi gümbür gümbür atmaya başladı.

"Burada ne yapıyorsun?" diye sordu Kont, öfkeyle.

"Ben, şey," dedi Rose. "İşte... Ben... şey... sadece şeyi arıyordum... bir arkadaşımı."

"Hangi arkadaşını? O arkadaşın Violet olmasın sakın?"

Violet dolabın dibinde iyice büzüştü.

"Hayır, Violet değil," diye ciyakladı Rose. "Asla, kesinlikle Violet değil. Bu yeni bir arkadaşım, adı da… hımm… Esmeralda." Ama Kont artık onu dinlemiyordu. Odanın içinde yavaşça yürüyordu ve Violet onun gardırobun önünde durduğunu duydu.

"Bunun kapağı neden açık?"

"Hımm… şey…" diye mırıldandı Rose.

Fakat sonra başka biri konuşmaya başladı.

"Renard! Sen burada ne arıyorsun?" diye ciyakladı Kontes. "Sana hemen aşağıda ihtiyacım var! Yemek servisi başlamak üzere. Sen de yürü çocuğum!" dedi Rose'a sertçe.

Violet, Rose'un duraksadığını hissetti ve sonra arkadaşı, ayaklarını sürüyerek uzaklaştı.

Kont da duraksamıştı.

"Hadi Renard! Neyi bekliyorsun?"

Bir anlık duraksamanın ardından Kont, "Geliyorum hayatım," dedi. Violet onun odadan çıktığını, kapıyı kapattığını ve ardından da kilitlediğini duydu.

Violet rahatlayarak uzun, yavaş ve tatlı bir nefes verdi, fakat sonra Kont'un yatak odasında kilitli kaldığını fark etti. Gardıroptan çıkıp emin olmak için kapıyı açmayı denedi. Kesinlikle kilitliydi.

Alt kattan gelen yemek gongu duyuldu. Violet telaşlanmaya başlamıştı; yokluğu fark edilecek, sonra Kont onu aramaya gelecek, Violet'in başı büyük belaya girecek ve herkes ona bağıracak, sonra da...

Sakin ol, dedi kendi kendine. Sadece biraz düşünmesi gerekiyordu; ne de olsa bir başka çıkış olmalıydı. Ve elbette vardı.

Sürme pencere oldukça kolay bir şekilde açıldı. Violet dışarı çıktı ve Memur Green ile Kont'un yerinden oynattığı eski yağmur borusuna uzandı. Cesareti gittikçe azalırken kendi kendine, bu borunun, Doğu'nun İncisi'ni çalan Isabella'yı çatıya kadar taşıdığını ve kendisini de aşağıya kadar olan kısa mesafede taşıyabileceğini söyleyip duruyordu.

Violet yağmur borusuna tutunarak yavaşça aşağı indi ve boru sallanmaya başlayınca son kısımda atlayarak yumuşak çimenlere indi.

Sonra hiçbir şey olmamış gibi davranarak eve doğru yürüdü. Ama uzun dişleri ay ışığında ışıldayan Kont'la yüz yüze geliverdi.

"Violet! Ne tuhaf, ben de küçük arkadaşın Rose'la konuşuyordum. Nereye kayboldun? Herhalde Isabella'yı dışarıda aramıyorsun, değil mi?"

"Ah... evet! Tam olarak bunu yapıyordum," diye yanıt verdi Violet, masum gözlerini kocaman açarak. "Bahçedeki alet kulübesinde olabileceğini düşünmüştüm."

"Hangi alet kulübesi?" diye sordu Kont şüpheyle.

"Ah, bilirsiniz, işte şuradaki," diye mırıldandı Violet belli belirsiz. "Şimdi gidip Rose'u bulmalıyım..." Hızla uzaklaşmaya çalıştı, ama Kont onu kaçırmayacak kadar hızlıydı. Violet'i kolundan sertçe yakaladı ve başını eğerek, onun kulağına fısıldadı.

"Gözüm üzerinde. Her zaman."

"Bir sorun mu var, Kont?" Violet döndü ve karşılaştığı manzara karşısında endişeyle bakan babasını gördü.

Kont, sahte bir gülümsemeyle Violet'in saçını okşadı ve bu Violet'in ürpermesine neden oldu. "Hiçbir sorun yok, en sevdiğim kızın iyi vakit geçirip geçirmediğini kontrol ediyordum. Şimdi hepimiz içeri girelim ve yemek yiyelim."

Rose yanındaki sandalyeyi Violet için tutmuştu.

"Kont seni yakaladı mı?" diye sordu endişeyle.

"Hayır ama pencereden kaçtım ve beni dışarıda buldu. Bir şeylerden şüphelendiği kesin," dedi Violet. "Şifrenin yanlış olduğuna inanamıyorum. Değiştirmiş olmalılar."

Bal kabağı kostümü içindeki yetişkini aradı, ama bulamadı.

Kont ayağa kalktı ve Isabella'nın ne kadar muhteşem olduğuna dair uzun bir konuşma yapmaya başladı; onun okulla ilgili başarılarını ve spor konusundaki hünerlerini anlata anlata bitiremedi. Dinleyiciler kibarca alkışladılar, sonra Kont, Kontes hakkında konuşmaya başladı;

onun güzelliğinden, inanılmaz zevkinden, evi yeniden düzenleme konusundaki yeteneğinden (Violet'in, dinlerken kibarca gülümseyen babasının sözü bile edilmemişti), onun ne kadar zarif ve zeki olduğundan bahsetti. *Vıdı vıdı vıdı*, diye düşündü Violet. Kont, sözlerini şöyle tamamladı: "Bu yüzden, hanımlar ve beyler, kadehlerinizi Coraline'a, benim tek aşkıma, kontesime kaldırın. Kalbimin anahtarı sende." Sonra çok matah bir iş yapmış gibi görünen eşine göz kırptı.

"Coraline'a!" dedi herkes bir ağızdan, kadehlerini gönülsüzce kaldırırken.

"İşte bu!" diye fısıldadı Violet, son derece şaşkın görünen Rose'a. "Kalbimin anahtarı! Kasa, kalp şeklindeydi... yani şifre Coraline

olmalı. Bir kez daha gitmeliyim, bunu Dee Dee için yapmalıyım."

Üst kata dönme fikri Rose'u dehşete düşürmüştü. "Sorun değil, kendi başımın çaresine bakarım," dedi Violet nazikçe. Rose elbette yardım edebileceğini söylemek üzereyken, Kont'un yaptığı açıklama konuşmalarını böldü.

"Şimdi hepiniz, Coraline'ın son derece zekice yarattığı harikulade havai fişek gösterisini izlemek için dışarı çıkmalısınız."

Mükemmel, diye düşündü Violet. Şimdi tek yapması gereken herkesin gerisinde durmak ve yağmur borusuna tırmanmaktı. Ama Kont belli ki Isabella'yla konuşmuştu ve Isabella, Violet'in yanına doğru geliyordu.

Violet'in elini yakalayarak, "Violet, hayatım, gel de havai fişek gösterisini birlikte izleyelim," dedi hayal edilebilecek en yapmacık sesle. Violet'in, onu takip etmekten başka seçeneği kalmamıştı.

Kalabalığın en önünde durdular. Dışarıya ses sistemi kurulmuştu ve hoparlörlerden gürültülü bir müzik yükselirken, gökyüzü bir sürü farklı ışıkla aydınlandı. Hemen diğer yanında beliren Rose, Violet'e, hâlâ elini sıkı sıkı tutmakta olan Isabella'dan nasıl kaçacağına dair bir fikir verdi...

"Hapşuuu!" Violet hapşırır gibi yapmıştı. "Hapşuuuu!" Isabella ona iğrenerek baktı ve burnunu silmesine izin vermek için Violet'in elini bıraktı. Tam o sırada bir sürü havai fişek patladı ve gökyüzü aydınlandı.

Isabella'nın dikkati dağılmışken Violet, Rose'a doğru eğildi. "Lütfen onun elini tut da seni ben sansın."

Rose karşılık olarak başını salladı ve kendine söyleneni yaptı. Isabella, havai fişek gösterisiyle öyle kendinden geçmişti ki Violet'in

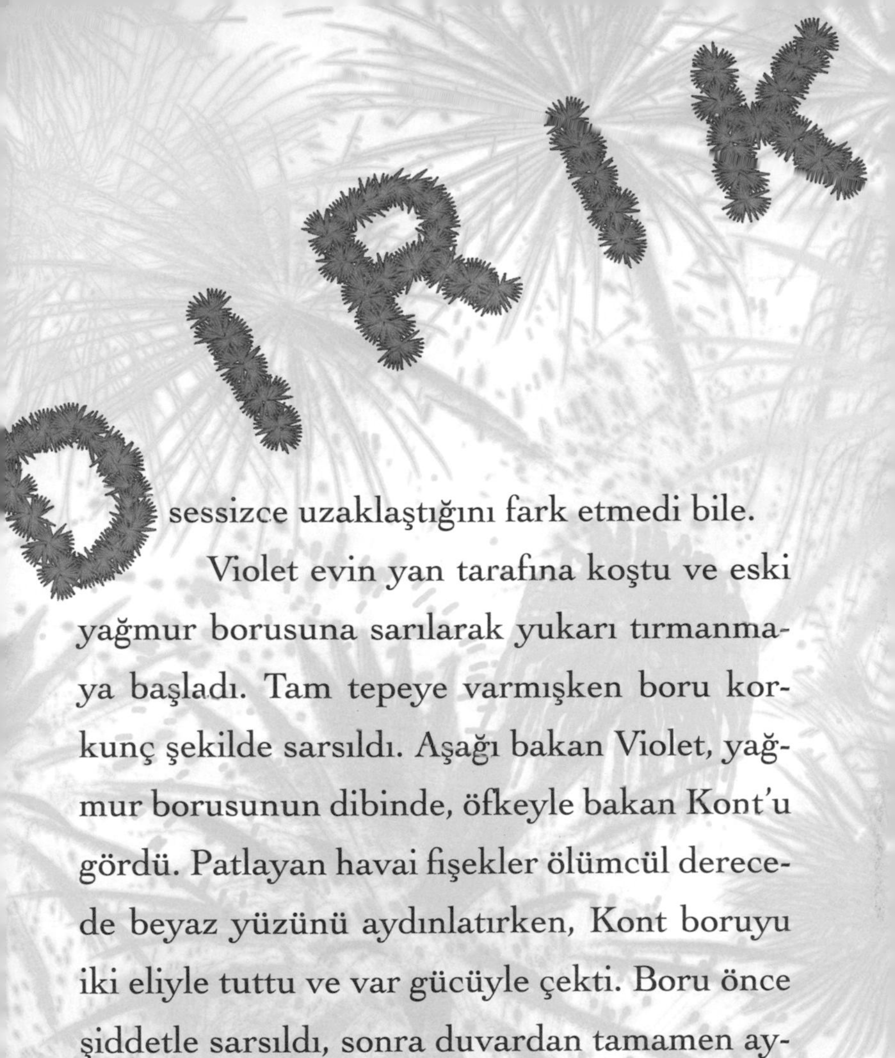

sessizce uzaklaştığını fark etmedi bile.

Violet evin yan tarafına koştu ve eski yağmur borusuna sarılarak yukarı tırmanmaya başladı. Tam tepeye varmışken boru korkunç şekilde sarsıldı. Aşağı bakan Violet, yağmur borusunun dibinde, öfkeyle bakan Kont'u gördü. Patlayan havai fişekler ölümcül derecede beyaz yüzünü aydınlatırken, Kont boruyu iki eliyle tuttu ve var gücüyle çekti. Boru önce şiddetle sarsıldı, sonra duvardan tamamen ayrıldı. Violet nefesini tutarak kendini korkunç düşüşe hazırladı, sonra beklenmedik bir şey oldu...

Yatak odasının açık penceresinden uzanan bir el onu kavradı ve odanın içine çekti.

Violet'in görebildiği tek şey, ona yardım eden ve "Acele et! Çok, çok hızlı ol!" diye fısıldarken odadan hızla çıkan, bal kabağı kostümü içindeki biriydi.

Violet gardırobun dibine daldı. Tuş takımına C-O-R-A-L-I-N-E harflerini girdi. Kasanın kapağı açıldı ve tam ortasında, mor bir kadife yastığın üstünde, Dee Dee'nin broşu göründü. Violet titreyen ellerle broşu cebine koydu ve gardıroptan çıktı.

Ama çok geç kalmıştı.

"Sen tam olarak ne yaptığını sanıyorsun?" Kont hemen önünde duruyordu. Öyle bir eğildi ki, yüzü Violet'in yüzüyle aynı hizaya geldi.

"Hımm..." Violet bir an için duraksadı, Kont'un yüzünün bu kadar yakın durması onu fazlasıyla büyülemiş gibiydi.

"Bence broşumu bana geri vermelisin, sen ne dersin?" dedi Kont tehditkâr bir şekilde.

Violet'in gözünün önünden çeşitli görüntüler film şeridi gibi geçti: Etrafı taşınma kolileriyle dolu Dee Dee'nin gözyaşları, Kont ve Kontes'in kadeh tokuşturmaları, ardından da devasa bir yüzme havuzuna el ele girmeleri... Violet birdenbire, karşısındaki, makyajı akma-

ya başlayan orta yaşlı adamdan artık korkmadığını fark etti. Hayır, ona çok kızgındı.

"Bu size değil Dee Dee'ye ait ve ben de bunu ona geri götürüyorum. Ne yaptığınızı biliyorum. Dee Dee'ye tiyatro bileti vererek onu saf dışı ettiniz, sonra Isabella'nın inciyi çalmasını sağladınız. Sonra Bay Ahte incinin sahtesini yaptı, siz de gerçek inci yerine Dee Dee'ye o sahte olanı verdiniz!"

Kont bir an için telaşlandı, sonra hemen kendini toparladı. "Bu oldukça ciddi bir suçlama, Violet. Sanırım elinde bunu ispatlayacak kanıtlar vardır, değil mi?" dedi alaycı bir ifadeyle.

"İncinin çalınmasının ertesi günü Bay Ahte'yle konuşmanızın başka ne sebebi olabilir ki? Geçen gece siz ve korkunç eşiniz neden kadeh kaldırıyordunuz? Ve en önemlisi, Dee Dee'nin broşu sizin kasanızda ne arıyor?"

"Bunun benim broşum olmadığını nereden biliyorsun?" diye sordu Kont. "Dee Dee'nin incisini gördüğümde çok beğenip, eşime hediye etmek için, Bay Ahte'ye gidip tarif etmediğimi ve taklidini yaptırmadığımı nereden biliyorsun? Çünkü benim hikâyem böyle ve buna sadık kalıyorum! O yüzden uslu bir kız ol ve broşumu bana geri ver, ben de seni şikâyet etmemeyim."

Violet'in böyle bir şey yapmaya hiç niyeti yoktu, ama artık konuşma zamanı değildi. Kaçmak için harekete geçti.

"O kadar acele etme!" diye haykırdı Kont, ona doğru bir hamle yapıp Violet'in kulağını yakaladı.

Violet, "Aaaah!" diye haykırdı ve Kont'un kaval kemiğine kuvvetli bir tekme attı.

"Seni küçük canavar!" diye gürledi Kont. "Şimdi onu bana geri ver yoksa canını fena halde acıtacağım!" Violet'in kulağını bükünce küçük kız acıdan kıvrandı.

Tam o anda yatak odasının kapısı açıldı ve içeri Rose

girdi, yanında Memur Green ve birkaç kişi daha vardı ve hepsi de son derece ciddi görünüyordu.

Kont hemen Violet'in kulağını bıraktı, ama yeterince hızlı davranamamıştı.

"Kont, acaba Violet'e ne yaptığınızı sorabilir miyim?" diye sordu Memur Green telaşla.

"Hımm, şey," dedi Kont bir yalan bulmaya çalışarak. "Biz sadece... şey... oyun oynuyorduk, değil mi Violet?"

"Hayır, pek sayılmaz," diye yanıt verdi Violet.

Kont güçlükle yutkundu. "Rose, tatlım, böyle bir mesele için polisi rahatsız ettiğine inanamıyorum. Müfettiş Green, her şeyi açıklayabilirim..."

Ama polis memuru onun sözünü kesti. "Ben tekrar Memur Green oldum ve beni arayan

Rose değildi, sadece bana nerede olduğunuzu gösterdi. Bu beyler Scotland Yard'ın Son Derece Ciddi Suçlar Birimi'nden geldiler. Anlaşılan o ki, yaptığınız iş anlaşmalarının bir kısmında son derece şüpheli noktalar varmış."

Diğer beylerden biri öne çıktı. "Kont Kandırık, sizi son derece kuvvetli dolandırıcılık ve kara para aklama şüphesiyle gözaltına alıyorum. Konuşmama hakkına sahipsiniz –aslında konuşmamanızı öneririm– fakat hemen avukatınızı arayıp bizimle polis merkezinde görüşmesini isteyebilirsiniz. Kelepçeleyin onu, Memur Bey."

Kont'un rengi iyice soldu ve yüzünden terle birlikte makyajı da akmaya başladı.

Violet bir fırsat bulunca hemen söze girdi.

"Memur Green, belki Doğu'nun İncisi'nin kasasında ne aradığını da Kont'a sormak isteyebilirsiniz."

Polis memuru sorgu dolu gözlerle, kaşlarını kaldırarak Kont'a baktı. Kont yaltaklanarak ona gülümsedi. "Sana da açıkladığım gibi, sevgili Violet, bu gerçek Doğu'nun İncisi değil. Ben biricik eşim için bir kopyasını yaptırdım."

"Bence ikimiz de bunun yalan olduğunu biliyoruz," dedi Violet.

"O zaman bunu ispat et!" diye bağırdı Kont.

Memur Green, "Kont! Gerçekten!" diyerek araya girdi. "Küçük bir kıza bağırmak, ha! Şimdi, Violet, bu suçlamaları daha önce de duymuştuk. Bu sefer elinde kanıtın var mı?"

Violet bir an için düşündü. Gerçek hiçbir kanıtı yoktu...

"Eğer Violet'in annesini bulursanız size Kont'un kasasında bulunan broşun gerçek olup olmadığını söyleyebilir," dedi Rose, "Eğer gerçekse, Kont'un yalan söylediğini öğrenmiş oluruz."

Violet arkadaşına bakarak gülümsedi.

Memur Green, Camille ve Benedict'i bulması için Rose'u gönderdi. Birkaç dakika sonra hep birlikte geri döndüler.

Annesi ve babası aynı anda, "Violet!" diye bağırdılar. "Her yerde seni arıyorduk! Neler oluyor?"

"Açıklamalar için sonradan çok vaktiniz olacak," dedi Memur Green ciddi bir sesle. "Şimdi, hanımefendi, lütfen bize bu Doğu'nun İncisi'nin gerçek mi, yoksa sahte mi olduğunu söyler misiniz?"

Camille, broşu eline aldı ve ışığa doğru tutarak yavaşça sağa sola çevirdi. Birkaç dakika sonra derin bir nefes aldı. "Bu gerçek," dedi. "Bu, Doğu'nun İncisi. Dünyadaki en değerli mücevherlerden biri."

Herkes nefesini tutarken, Kont lafı ağzında gevelemeye başlamıştı. "Beyler, her şeyi açıklayabilirim. Lütfen size birer içki ikram edeyim. Çok güzel viski var ya da belki kayısılı brendi istersiniz. Şeftali likörü de var. Lütfen, bu işi kendi aramızda çözebileceğimizden eminim."

Scotland Yard'dan gelen beyler onun dediklerini dinlemiyorlardı bile.

"Kelepçele onu, Green! Hemen!"

Tam o sırada Kontes ve Isabella ortaya çıktılar. Kont dışarıda bekleyen polis arabasına götürülürken, epey bir süre haykırışlarıyla ortalığı velveleye verdiler.

Memur Green, Violet'e döndü. "Başından beri haklıydın Violet, sana inanmadığım için özür dilerim. Belki de Kont'un söylediği gibi, yeteneklerinin arasına amatör dedektifliği de eklemelisin."

"Bunu Rose'un yardımı olmadan yapamazdım. Gerçekten çok cesurdu," dedi Violet ona.

Polis memuru, başını sallayarak onları takdir etti. "İyi takım çalışması, kızlar. Şimdi bu broşu Bayan Derota'ya geri götürmeliyim."

"Ah, biz götürebilir miyiz lütfen?" diye sordu Rose.

"Sanırım buna itiraz etmeyeceğim, sadece bu seferlik," diye gülümsedi polis memuru, sonra da herkese iyi geceler diledi.

Kızlar yardımlarından dolayı teşekkür etmek için bal kabağı kostümlü yabancıyı aradılar, ama yabancı ortadan kaybolmuştu.

Kontes ve Isabella bir köşede ağıt yakmakla meşguldüler, yani bu güzel parti için teşekkür etmenin zamanı değildi, bu yüzden Violet ve Rose evden çıktılar ve Dee Dee'nin kapısını çaldılar.

Dee Dee kapıyı açtığında ikisi birden, "Cadılar Bayramı kutlu olsun!" diye bağırdılar.

"Ama sizin 'şaka mı şeker mi?' demeniz gerekmiyor muydu?" diye sordu Dee Dee. "Gerçi hiç şekerim kalmadı, kapı zilim bütün gece boyunca çaldı. O yüzden şakayı kabul edeceğim. En kötü şakanızı yapın!"

"Tamam," dedi Violet. "Gözlerini kapa ve elini uzat." Violet, Dee Dee'nin açılmış avucuna Doğu'nun İncisi'ni bıraktı.

O gece geç vakitte, Ay berrak sonbahar göğünün en tepesine çıktığında, bahçede iki çift buluştu.

Çiftlerin ilki Puding ve Lullabelle'di. İkisi çimlerde mutluluk içinde oturuyorlardı.

İkinci çift de, o sırada kısa ve fısıltılı bir sohbete devam eden Norma'yla Ernest'ti. Ernest günlük kıyafetlerini giymişti ve yüzündeki turuncu makyajı neredeyse tamamen silmeyi başarmıştı. Gölgelerin arasında durup her şey bu kadar iyi sonuçlandığı için birbirlerini tebrik ettiler. Çünkü ikisi de Dee Dee Derota'nın çok iyi bir hanımefendi olduğuna inanıyordu.

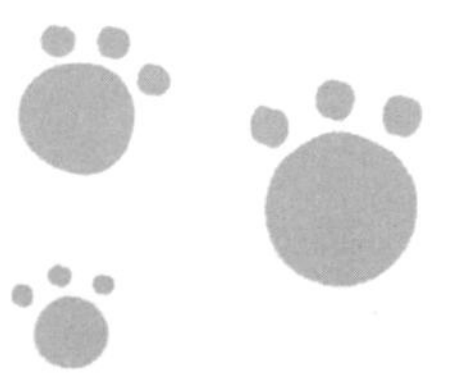

Bir hafta kadar sonra, Bond Caddesi'ndeki en gösterişli mücevhercilerin birinin önünde olsaydınız, taksiden inen iki hanımın dükkâna girdiklerini ve üst kattaki ufak odaya çıktıklarını görebilirdiniz.

Dee Dee ve Camille dünyanın en büyük mücevher uzmanlarından biri olan Senyör Los Dideron'u ziyaret ediyorlardı.

Senyör, mücevheri dikkatle incelerken uzun bir sessizlik oldu. Sonra uzman geldi ve Dee Dee'nin önünde diz çöktü.

"Teşekkür ederim Madam, bana dünyanın en harika mücevherini getirdiğiniz ve hayatımın en mutlu anını yaşattığınız için size çok teşekkür ederim," dedi belirgin İspanyol aksanıyla. "Bu gece ölürsem, mutlu bir adam olarak öleceğim."

Dee Dee memnuniyetini gösteren uzun ve derin bir iç çekişle yanıt verdi.

Broş birkaç ay sonra açık artırmaya çıkarıldığında, gizli bir katılımcı o kadar yüksek bir fiyat önerdi ki, bu durum dünyanın birçok gazetesinde haber oldu. Dee Dee bir daha asla para konusunda endişelenmeyecekti.

Peki ya Kont? Şey dedikodulara göre tuvalet penceresini kullanarak polis merkezinden kaçmış ve en son, Coraline ve Isabella'yla birlikte özel uçağına binerken görülmüştü. Ama herhalde bu konuda yorum yapmamalıyım.

Kandırık ailesinin evi boş duruyor. Evde kalan tek kişi, Chiang-Mai'yle ilgilenen Ernest. Ernest aynı zamanda, vaktinin çoğunu arkadaşı ve komşusu olan Dee Dee Derota'ya yardım ederek ve bir başka iyi arkadaşı ve komşusu olan Norma'yla çay içerek geçiriyor.

Violet mi? O ve Rose, Tüm Polislerin En Önemli Başmüfettişi'nden acayip pırıltılı birer madalya aldılar ve Bayan Rumperbottom, on-

ların cesaret ve ustalıklarını övmek için okulda bir toplantı düzenledi. Aslında Dee Dee'nin ufak dairesinden ayrılmak zorunda kalmaması kızların istediği tek ödüldü.

Fakat şimdi tüm bu heyecan biraz azaldıktan sonra, bence Violet artık yeni bir maceraya hazır…

Violet'in son derece yardımcı sözlüğü

Violet kelimeleri çok seviyor, özellikle de kulağa değişik geliyorsa... O yüzden hikâyesinde kullandığı bazı kelimeleri anlamak zor olabilir. Birçoğunu zaten biliyorsunuzdur, ama Violet sizin için birkaç kelimeyi açıklamak istiyor...

Mimar: Babam bir mimar ve bu iş onu çok meşgul ediyor! Başka insanların evlerini ve binalarını tasarlıyor.

Cherie: Annem bir Fransız ve benimle Fransızca konuşmasına bayılıyorum! Cherie, tatlım, meleğim, balım ve bunun gibi güzel anlamlara geliyor.

Enchanté: Bu, 'tanıştığımıza memnun oldum' demenin çok kibar (ve Fransızca) bir yolu.

Merci: Bence bu sözcüğü biliyorsunuz, değil mi? Evet, bu doğru, Fransızca teşekkür ederim demek, o yüzden bunu hatırlamak gerekiyor!

Toplangaç: Ters saklambaç olarak da bilinen bu çocuk oyununda tek bir oyuncu saklanıyor ve diğer oyuncular onu bulmaya çalışıyor. Saklanan oyuncuyu bulan oyucu, saklambaçtaki gibi ebelemiyor, saklanan oyuncunun yanına saklanıyor. Oyun, saklanma yerini bulamayan tek bir oyuncu kalana kadar devam ediyor. Çok eğlenceli, değil mi?

Marilyn Monroe: Marilyn çok meşhur bir oyuncuymuş. Dee Dee bana onun bir keresinde Amerikan Başkanı'na İyi ki Doğdun şarkısı bile söylediğini anlattı.

Frank Sinatra: Eminim ki herhangi bir yetişkine sorsanız, bu oyuncu ve şarkıcıyı duyduğunu söyleyecektir. Dee Dee, Frank Sinatra'nın onunla evlenmek istediğini söyledi, ama o Dave Derota'ya aşık olmuş.

Fiyort: Celeste, Norveç'te bunları ziyaret etti ve çok güzel olduklarını söyledi. Bunlar vadilerin arasına sokulan ince deniz şeritlerinden oluşuyor. Umarım Celeste bir dahaki gidişinde beni de yanında götürür!

Gondol: Venedik'te kullanılan bir kayık çeşidi. İnsanlar şehirdeki kanallarda bunlarla seyahat ediyorlar.

Doğu'nun İncisi: Bu mücevherin çok üzücü bir geçmişi varmış! Annem bana, incinin çok uzun zaman önce Güney Çin'deki inci avcıları tarafından bulunduğunu, sonra Pers İmparatoru'nun onu almak için çok fazla para ödediğini anlattı. İmparatorun büyük-büyük-büyük-büyük torunu inciyi en sevdiği kız arkadaşına vermiş, ama o da inciyi alıp erkek arkadaşının uşaklarından biriyle kaçmış! Kız, inciyi Amerikalı bir kadına satmış, o da sadece bir kere takabildikten sonra inci, Leopar isimli meşhur hırsız tarafından çalınmış. Herkes incinin sonsuza dek yok olduğunu düşünürken inci, Dee Dee'nin bisküvi kutusunda ortaya çıkmış!

VIOLET'İN BİR SONRAKİ
MACERASINI KAÇIRMAYIN
VIOLET
VE
GİZLİ HAZİNE